ॐ

SANSKRIT VERB CONJUGATION
using Ashtadhyayi Sutras

Ashwini Kumar Aggarwal
edited by
SADHVI HEMSWAROOPA

जय गुरुदेव

ISBN13: 978-93-92201-95-0 Paperback Edition
ISBN13: 978-93-92201-96-7 Hardbound Edition
ISBN13: 978-93-92201-99-8 Digital Edition

Title: Sanskrit Verb conjugation using Ashtadhyayi Sutras
Author: Ashwini Kumar Aggarwal

Printed and Published by
Devotees of Sri Sri Ravi Shankar Ashram
34 Sunny Enclave, Devigarh Road,
Patiala 147001, Punjab, India

https://advaita56.weebly.com/
The Art of Living Centre

https://www.artofliving.org/

17th January 2022 Shakambari Poornima, Sarvartha Siddhi Yoga Shukla Paksha, Uttarayana, Punarvasu Nakshatra, Chhot leaves after fulfilling all her obligations and spreading great good cheer Vikram Samvat 2078 Ananda, Saka Era 1943 Plava

1st Edition January 2022

जय गुरुदेव

Dedication

Sri Sri Ravi Shankar

who allows us to explore new words with good cheer

Blessing

In Sanskrit, 'Apaha' means both water & love. 'Aptah' is dear one.
Water, life & love are inseparable. Let's keep them pure.

Sri Sri Ravi Shankar
7:18 am Mar 23, 2017 @SriSri Twitter for iPhone

Acknowledgements

Mataji Brahmaprakasananda of AVG Nagpur, for superb teaching.
Pushpa Maa of Panini Shodh Sansthan, for excelling in Sanskrit.

Vedanta and Sanskrit course Class Notes of years 2014, 2015.

Prayer

येनाक्षरसमाम्नायम् अधिगम्य महेश्वरात् ।
कृत्स्नं व्याकरणं प्रोक्तं तस्मै पाणिनये नमः ॥

yenākṣarasamāmnāyam adhigamya maheśvarāt I

kṛtsnaṃ vyākaraṇaṃ proktaṃ tasmai pāṇinaye namaḥ II

By whom the letters were carefully chosen and collected,
Which were initially produced by Lord Shiva.
Who wrote an exhaustive and complete grammar treatise,
To that great Panini my sincerest obeisance.

वाक्यकारं वररुचिं
भाष्यकारं पतञ्जलिम् ।
पाणिनिं सूत्रकारञ्च
प्रणतोऽस्मि मुनित्रयम् ॥

vākyakāraṃ vararuciṃ To the Explanatory Sentences of Vararuchi,
bhāṣyakāraṃ patañjalim I & the indepth commentary of Patanjali,
pāṇiniṃ sūtrakārañca & the precise verses of Panini,
praṇato'smi munitrayam II my offering of cheerful & grateful praise.

Table of Contents

Preface

Sanskrit is coming of Age. More and more Colleges and Universities are offering a degree course in this lingua franca of yore.

Many schools across Europe and America are introducing Sanskrit to young learners.

In India too there is a revival across the length and breadth, with committed organisations working to reach out to adults and children all over.

To understand Sanskrit Grammar, the basic stuff is all about knowing the correct spelling of NOUNS and VERBS. This edition gives the Verb Conjugation Affix Tables for all the eleven Tenses and Moods, that are seen in literature. It also goes into the Ashtadhyayi of Panini to see what changes are involved to make the final affix.

The 3x3 Parasmaipada and Atmanepada Table matrices for Ting Affixes in 3 persons and 3 numbers are judiciously arranged, with emphasis on clarity and legibility. The mechanism of original Ting Affixes and Modified Ting affixes is elaborated by seeing the Sutras.

Ashtadhyayi Sutras for Sandhi changes in the affixes are listed, so that the reader understands the background process threadbare.

The Ashtadhyayi of Panini and Ancillary Texts are:
- Dhatupatha text lists the Roots.
- Ganapatha text lists many Noun Stems.
- Linga Anushasana text gives criteria for gender of stems.
- The Ashtadhyayi of Panini lists the Affixes and Upasargas (prefixes) that attach to Roots, and the elaborate mechanism for construction of Verbs and Nouns using the Roots from Dhatupatha and Stems from Ganapatha.

Introduction

The Dhatupatha is a collection of sounds that are known as the Roots of the Sanskrit language. It is found as an Appendix to the Ashtadhyayi of Panini, the magnum opus of the great Sanskrit grammarian of yore.

The **person** (third person HE, second person YOU, etc.) and **number** (singular ONE APPLE, plural THREE APPLES, etc.) that are commonly used in English Grammar for sentence syntax, structure and meaning are **Conjugated in Sanskrit within the Verb itself**. This means that the person (SHE, IT, etc.) and number (BOTH ITEMS, MANY ITEMS, etc.) are not separate words in a Sanskrit sentence. The Verb in a Sanskrit sentence contains such information intrinsically. This is done by taking a Verb Stem अङ्गः and applying suffixes to it in a matrix of 3x3 as below: Concept

	Singular	Dual	Plural
Third Person	iii/1	iii/2	iii/3
Second Person	ii/1	ii/2	ii/3
First Person	i/1	i/2	i/3

Example using a Sanskrit Root (Dhatu धातुः) 1 भू सत्तायाम् । to be

	Singular	Dual	Plural
Third Person	He is	They BOTH are	They ALL are
Second Person	You are	You BOTH are	You ALL are
First Person	I am	We BOTH are	We ALL are

The Verb Stem अङ्गः is भव । Conjugated Verbs (Rupas रूपाः) in Present Tense लट् Active Voice कर्त्तरि Parasmaipada परस्मैपदः

	Singular	Dual	Plural
Third Person	भवति	भवतः *tah*	भवन्ति *anti*
Second Person	भवसि	भवथः *thah*	भवथ *tha*
First Person	भवामि	भवावः	भवामः *mah*

bhavavah

10

di शि di

Usage *balah bhavati*

English	Sanskrit	Explanation
He is a boy	(सः) बालः भवति	भवति ≡ "He is" / "She is" / "It is"
Both boys are	(द्वौ) बालौ भवतः *bhavatah*	भवतः ≡ "Both are" / "Two are"
They All are	ते भवन्ति	भवन्ति ≡ "All are" / "Many are"
You are	(त्वं) भवसि	भवसि ≡ "You are"
You both are	भवथः	भवथः ≡ "You both are"
You all are	भवथ	भवथ ≡ "You all are"
I am	(अहं) भवामि	भवामि ≡ "I am" / "I exist"
We both are	भवावः	भवावः ≡ "We both are"
We all are	भवामः	भवामः ≡ "We all are"

Note that the Sanskrit Verb in its Conjugated form भवति directly means "is", and, intrinsically also has the sense of "He/She/It" as per context in a sentence. It is not needed to explicitly use the equivalent for "He" सः when writing in Sanskrit.

Example using the Root 330 पठ *patha* व्यक्तायां *vyatakyam* वाचि *vaci* I to read, to learn

Its Verb Stem is पठ I Conjugation Table Present Tense Active Voice

	Singular	Dual	Plural
Third Person	पठति	पठतः *tah*	पठन्ति *pathanti*
Second Person	पठसि	पठथः *thah*	पठथ *tha*
First Person	पठामि	पठावः *vah*	पठामः *mah*

Usage

English	Sanskrit	Explanation
She reads	सा पठति	पठति ≡ "He reads" / "She reads" / "It reads"

Sa pathati

11

bale pathatah

They two read	बाले पठतः	पठतः ≡ "Both read"
Three girls read	तिस्रः युवत्यः पठन्ति	पठन्ति ≡ "Many read" *pathanti*
You read	(त्वं) पठसि	पठसि ≡ "You read" *pathasi*
You both read	(युवां) पठथः	पठथः ≡ "You both read" *pathathah*
You five read	यूयं पञ्च पठथ	पठथ ≡ "You all read" *patha*
I read	(अहं) पठामि	पठामि ≡ "I read" *pathami*
We both read	(आवां) पठावः	पठावः ≡ "We both read" *patha vah*
We ten read	वयं दश पठामः	पठामः ≡ "We all read" *patha mah*

From these examples we see that a Verb in Sanskrit contains the additional meaning of person and number. This is known as Conjugation of Sanskrit Verbs. For reading and writing correctly, it is very important to know the proper spelling of a Verb. Here we have seen examples for Verbs in Present Tense Active Voice. There are 1943 Roots in the Language enumerated by the Dhatupatha of Panini.

This book lists Verb Conjugation Tables for a few select Roots for the 11 Lakaras. **It however lists the Parasmaipada and Atmanepada Conjugation Ting Affixes for all the 11 Lakaras.**

Since Verb Conjugation involves knowing precisely the correct affix that shall get attached to a Dhatu, this book is an extremely invaluable guide to the Sanskrit Grammar learner. Just by knowing the correct Ting Affixes, a lot of grammatical errors can be avoided, and writing correct spellings of Verbs becomes effortless.

subham bhaveta शुभं भवेत् Do Well

शुभं भूयात् May you do well

subham bhūyati

Tenses and Moods in Sanskrit

SN	Tense	Meaning	Usage
1	लट्	Present Tense	is
2	लङ्	Imperfect Past Tense – *before from yesterday onwards*	was
3	लोट्	Imperative Mood – *request*	please do this
4	विधि–लिङ्	Potential Mood – *order* विधिलिङ् (also known as Optative Mood)	JUST DO IT
5	लृट्	Simple Future Tense – *now onwards*	will be
6	लृङ्	Conditional Mood – *if/then in past or future*	if, then
7	लुट्	Periphrastic Future Tense – *tomorrow onwards*	will be
8	आशीर्–लिङ्	Benedictive Mood – *blessing* आशीर्लिङ् (also used in the sense of a curse)	may you be
9	लिट्	Perfect Past Tense – *distant unseen past*	was
10	लुङ्	Aorist Past Tense, *before from now onwards*	was
11	लेट्	Vedic usage Potential Mood – *order* This लेट् Lakara is subdivided as a. सार्वधातुक लेट् b. आर्धधातुक लेट्	do it

Voice Usage – Active Passive Emotion

A verb may be used in कर्त्तरि active voice, कर्मणि passive voice, or simply भावे exhibiting emotion. e.g.

Active Voice - He is.
Passive Voice – It was he.
Emotion – He meant.

There is an additonal affix that gets introduced in Sanskrit Grammar when voice usage is Passive/Emotion. This affix is यक् ।

3.1.67 सार्वधातुके यक् । कर्मणि-प्रयोगे भावे-प्रयोगे च सार्वधातुके प्रत्यये परे धातोः यक् प्रत्ययः भवति । The यक् affix used to denote passive voice or emotion, is used only after Sarvadhatuka Affixes.

This book details the Active voice usage only.

Ting Affixes Sarvadhatuka/Ardhadhatuka

We have arranged the Tenses and Moods as per Sarvadhatuka / Ardhadhatuka criterion for ease of study. The Sarvadhatuka Ting affixes use Gana Vikarna affix also, while Ardhadhatuka do not.

3.4.113 तिङ्-शित्-सार्वधातुकम् । Sarvadhatuka Ting Affixes are those that are general तिङ् or that begin with श् letter.

1	लट्	Present Tense. 3.2.123 वर्तमाने लट् ।
2	लङ्	Imperfect Past Tense – *before from yesterday onwards.* 3.2.111 अनद्यतने लङ् ।
3	लोट्	Imperative Mood – *request.* 3.3.162 लोट् च ।
4	विधि–लिङ्	Potential Mood – *order विधिलिङ्* (also known as Optative Mood). 3.3.161 विधिनिमन्त्रणामन्त्रणाधीष्टसंप्रश्नप्रार्थनेषु लिङ् ।
11a	लेट्	Vedic usage Potential – *order.* 3.4.7 लिङर्थे लेट् ।

3.4.114 आर्धधातुकं शेषः । Ardhadhatuka Ting Affixes are those that are except for 3.4.113. The following तिङ् affixes get modified by insertion of additional affix, hence these are Ardhadhatuka.

5	लृट्	Simple Future Tense–*now onwards.* 3.3.13 लृट् शेषे च।
6	लृङ्	Conditional Mood – *if/then in past or future.* 3.3.139 लिङ्निमित्ते लृङ् क्रियातिपत्तौ ।
7	लुट्	Periphrastic Future Tense – *tomorrow onwards.* 3.3.15 अनद्यतने लुट् ।
8	आशीर्–लिङ्	Benedictive Mood – *blessing आशीर्लिङ्* (also used in the sense of a curse). 3.3.173 आशिषि लिङ्लोटौ ।
9	लिट्	Perfect Past Tense–*distant unseen past* 3.4.114 लिट् च
10	लुङ्	Aorist Past Tense, *before from now onwards.* 3.2.110 लुङ् ।
11b	लेट्	Vedic usage Potential – *order.* 3.4.7 लिङर्थे लेट् ।

The Affixes are of two types, Sarvadhatuka and Ardhadhatuka.

The **general** Ting affixes are Sarvadhatuka. These will get the gana vikarana afffix additionally during conjugation process of Verb.

The Sarvadhatuka Ting Lakara Affixes are:
- लट् Present tense LAt
- लङ् Imperfect Past Tense LAng
- लोट् Imperative Mood LOt
- विधिलिङ् Potential Mood VidhiLing
- सार्वधातुक लेट् Direct Order Vedic usage LEt

For applying these Sarvadhatuka Ting Lakara affixes, the Gana Vikarana of each Dhatu shall be introduced. e.g.

भू ^{Dhatu} + ति ^{Ting} → भू ^{Dhatu} + शप् $^{Gana\ Vikarana}$ + ति ^{Ting} →
भवति । **He/She/It is**. लट् iii/1 Third person singular Present tense.

The **prefixed** Ting affixes are Ardhadhatuka. These do NOT get the gana vikarana afffix during conjugation process of Verb.

The Ardhadhatuka Ting Lakara Affixes are:
- आर्धधातुक लेट् Direct Order Vedic. All Affixes are prefixed with सिप्
- लृट् Simple Future Tense. All Affixes are prefixed with स्य
- लृङ् Conditional Mood. All Affixes are prefixed with स्य
- लुट् Periphrastic Future Tense. All Affixes are prefixed with तास्
- आशीर्लिङ् Benedictive Mood. Prefixed with यासुट् or सीयुट्
- लिट् Perfect Past Tense. Prefixed with णल् or थल्
- लुङ् Aorist Past Tense. Variously modified with सिच् अङ् चङ्

For applying these Ardhadhatuka Ting Lakara affixes, the Gana Vikarana is NOT used. e.g.

भू ^{Dhatu} + यात् ^{Ting} → **भूयात्** । **He/She/It may be blessed**.
आशीर्लिङ् iii/1 Third person singular Benedictive Mood.

However for the Ardhadhatuka affixes, the **Idagam** (सेट् अनिट् वेट्) Dhatu criteria shall apply. It means that first we need to identify if a Root is सेट् or अनिट् , then accordingly apply Ardhadhatuka Ting Lakara affixes. Also, for most Ting affixes, an additional vikarana affix (independent of Dhatu gana) gets inserted. For the सेट् Roots, the इ augment shall be prefixed to the Vikarana Affix.
E.g.
भू ^{Dhatu} + ति ^{Ting} → भू ^{Dhatu} + स्य ^{Vikarana} + ति ^{Ting} →

भू ^{Dhatu} + इ ^{Augment} + स्य ^{Vikarana} + ति ^{Ting} → **भविष्यति** । **He/She/It shall do**. लृट् iii/1 Third person singular Simple Future Tense.

Ten Conjugational Groups and Gana Vikarana

The Dhatupatha contains ten principal conjugational groups. These are made since an entity known as the gana vikarana गण विकरण is common for each specific group, for the Sarvadhatuka सार्वधातुक conjugational tenses and moods.

SN	Dhatu	Meaning	Gana Vikarana	Without Tag	Conjugation Group name & No	
1	भू	सत्तायाम्	शप्	अ	भवादि-गण	1c
1011	अद	भक्षणे	शप् – लुक्	-	अदादि-गण	2c
1083	हु	दान-अदानयोः	शप् – श्लु	-	जुहोत्यादि-गण	3c
1107	दिवु	क्रीडा०	श्यन्	य	दिवादि-गण	4c
1247	षुञ्	अभिषवे	श्नु	नु	स्वादि-गण	5c
1281	तुद	व्यथने	श	अ	तुदादि-गण	6c
1438	रुधिर्	आवरणे	श्नम्	न	रुधादि-गण	7c
1463	तनु	विस्तारे	उ	उ	तनादि-गण	8c
1473	डुक्रीञ्	द्रव्य-विनिमये	श्ना	ना	क्र्यादि-गण	9c
1534	चुर	स्तेये	णिच् + शप्	अय	चुरादि-गण	10c

3.1.68 कर्तरि शप् । सार्वधातुके ।

2.4.72 अदिप्रभृतिभ्यः शपः । लुक् ।

2.4.75 जुहोत्यादिभ्यः श्लुः ।

3.1.69 दिवादिभ्यः श्यन् । 3.1.73 स्वादिभ्यः श्नुः ।

3.1.77 तुदादिभ्यः शः । 3.1.78 रुधादिभ्यः श्नम् ।

3.1.79 तनादिकृञ्भ्य उः । 3.1.81 क्र्यादिभ्यः श्ना ।

3.1.25 सत्यापपाशरूपवीणातूलश्लोकसेनालोमत्वचवर्मवर्णचूर्ण-चुरादिभ्यो णिच्।

Idagam Roots Identification and इट् augment

For the Ardhadhatuka आर्धधातुक conjugational tenses and moods, we need to identify if a Root is सेट् or अनिट् । This is an important part of Verb conjugation procedure.

7.2.10 एकाच उपदेशेऽनुदात्तात् । Single syllable Roots with Anudata Accent in Dhatupatha are अनिट् Anit Roots. Such Roots do not get the इट् augment.

7.2.35 आर्धधातुकस्येड् वलादेः । An Ardhadhatuka affix that begins with a वल् letter gets an इट् augment. For सेट् Roots only.

Note:
वल् pratyahara includes all consonants except य् ।
It excludes Vowels. Hence Ardhadhatuka Ting affixes that have initial य् or a vowel do NOT get इट् augment.

इट् here discard the Tag letter by 1.3.3 हलन्त्यम् we get इ ।

Relevant Sutras for Ting Affixes

3.4.77 लस्य ।

3.4.78 तिप्तस्झिसिप्थस्थमिब्वस्मस्तातांझथासाथांध्वमिड्वहिमहिङ् ।
तिप्-तस्-झि-सिप्-थस्-थ-मिप्-वस्-मस्-त-आताम्-झ-थास्-आथाम्-ध्वम्-इड्-वहि-महिङ् । The 18 Primary तिङ् Affixes used for VERB construction.
3.4.113 तिङ्शित् सार्वधातुकम् । Ting Affixes and affixes having श् Tag are called Sarvadhatuka, i.e. they will use the Gana Vikarna affix additionally during conjugation process.
3.4.114 आर्धधातुकं शेषः । Rest of the affixes are called Ardhadhatuka, there is no use of gana vikarna affix.

Parasmaipada Sutras for 1c, 2c, 4c, 5c, 6c, 7c, 8c, 9c, 10c

7.1.3 झोऽन्तः । झ् portion of affix is replaced by अन्त् ।

Parasmaipada Sutras for 3c

7.1.4 अत् अभ्यस्तात् । झः प्रत्ययस्य । For an अभ्यस्त reduplicated Anga, झ् portion is replaced by अत् i.e. for 3c roots, झि → अति ।

Sarvadhatuka सार्वधातुक तिङ् लकार

The Sarvadhatuka Ting Lakara Affixes are:
- लट् Present tense
- लङ् Imperfect Past Tense
- लोट् Imperative Mood
- विधिलिङ् Potential Mood
- सार्वधातुक लेट् Direct Order Vedic usage

For applying these Sarvadhatuka Ting Lakara affixes, the Gana Vikarana of each Dhatu shall be introduced.
e.g. भू + ति → भू + शिप् + ति → भवति । लट् iii/1 Third person singular Present tense.

1) 3.2.123 वर्तमाने लट् Present tense
2) 3.2.111 अन्-अद्यतने लङ् Imperfect Past Tense
3) 3.3.162 लोट् च Imperative Mood also, is used in the sense of Potential
4) 3.3.161 विधि-निमन्त्रण-आमन्त्रण-अधीष्ट-सम्प्रश्न-प्रार्थनेषु लिङ् (विधिलिङ्) Potential Mood
5) 3.4.7 लिङ्-अर्थे लेट् (सार्वधातुक) Direct Order optionally for Vedic usage

1.2.4 सार्वधातुकम् अपित् । By extrapolation of this Sutra, we see that only Sarvadhatuka Affixes get the पित् / अपित् Tag. Thus Ardhadhatuka Affixes do not have पित् / अपित् Tag.

Sarvadhatuka Affixes are of the types:
तिङ् Ting, कृत् Krit, विकरण Vikarana.

Relevant Sutras for ङित् Affixes

3.4.99 नित्यं ङितः । सः उत्तमस्य लोपः लस्य । For ङित् लकारs (लङ् लिङ् etc) सकार of 1st person वस्$^{i/2}$ & मस्$^{i/3}$ always drop.
3.4.100 इतः च । लस्य लोपः नित्यं ङितः । इ portion of ङित् लकार(लङ् लिङ् etc) always drop (तिप् सिप् मिप् अन्ति → त् स् म् अन्त्
6.4.71 लुङ्लङ्लृङ्क्षु अट् उदात्तः अट् augment comes.
6.4.72 आट् अच् आदिनाम् । आट् augment for vowel beginning roots
8.2.23 संयोगान्तस्य लोपः । पदस्य । Final conjunct of pada is dropped (affix अन्त् becomes अन्). This is valid only for Verb (pada), but since it will always happen for a Verb लङ् ii/3, hence mentioned here in Affix.
3.4.101 तस्थस्थमिपां तान्तंतामः । ङित् लस्य । For ङित् लकारs (लङ् लिङ् लुङ् लृङ्) affixes तस् iii/2 थस् ii/2 थ ii/3 मिप् i/1 are replaced by ताम् तम् त अम् resp.
3.4.109 सिच्-अभ्यस्त-विदि-भ्यः च । झेर्जुस् ङित । For reduplicated roots (3c) affix झि replaced by जुस् ।
3.4.111 लङः शाकटायनस्यैव । आतः झेर्जुस् । For लङ् लकार, Only for आकारान्त roots, Optionally, the affix झि iii/3 gets replaced with जुस् ।
7.1.3 झोऽन्तः । A तिङ् affix containing झ् (facing an अङ्ग) is replaced by अन्त् । 7.1.5 आत्मनेपदेषु अनतः । अत् झः । For अन्-अत् Anga (Irregular ganas) झ् is replaced by अत् in Atmanepada.
7.2.81 आतः ङितः । अतः इयः सार्वधातुके अङ्गस्य । The आकार belonging to a सार्वधातुक ङित् affix (ie all Atmanepada affixes for regular लकार (लट् लोट् लङ् वि०लि०) is replaced by इय् , When it follows an Anga ending in अकार (i.e. all regular conjugational roots 1c, 4c, 6c, 10c).
6.1.64 लोपो व्योर्वलि । The व् or य् followed by a वल् letter get dropped.
1.3.3 हलन्त्यम् । इत् । In Upadesha, the final consonant is a tag letter.
1.3.7 चुटू । इत् In Upadesha, the initial चवर्ग , टवर्ग are tag letters.
8.3.59 आदेशः प्रत्यययोः । ष् is substituted for स् (portion of affix) when affix is preceded by an इण् vowel or a कु guttural.

1. Present Tense लट् LAṭ

3.2.123 वर्तमाने लट् ।

Primary तिङ् Affixes

Parasmaipada			Atmanepada		
तिप्	तस्	झि	त	आताम्	झ
सिप्	थस्	थ	थास्	आथाम्	ध्वम्
मिप्	वस्	मस्	इट्	वहि	महिङ्

Modified तिङ् Affixes for लट् without Tag

Parasmaipada			Atmanepada		
ति	तः	अन्ति	ते	इते	अन्ते
सि	थः	थ	से	इथे	ध्वे
मि	वः	मः	ए	वहे	महे

Regular Gana लट् Affixes (Dhatus 1c, 4c, 6c, 10c)

Parasmaipada लट्			Atmanepada लट्		
ति प्	तस्	अन्ति	ते	इते	अन्ते
सि प्	थस्	थ	से	इथे	ध्वे
मि प्	वः	मः	ए	वहे	महे

Irregular Gana लट् Affixes (Dhatus 2c, 5c, 7c, 8c, 9c)

Parasmaipada लट्			Atmanepada लट्		
ति प्	तस्	अन्ति	ते	आते	अते
सि प्	थस्	थ	से	आथे	ध्वे
मि प्	वः	मः	ए	वहे	महे

Reduplicated Gana लट् Affixes (Dhatus 3c) and 7 Roots of 2c जक्षँ जागृ दरिद्रा चकासृ शासु दीधीङ् वेवीङ्

Parasmaipada लट्			Atmanepada लट्		
ति प्	तस्	अति	ते	आते	अते
सि प्	थस्	थ	से	आथे	ध्वे
मि प्	वः	मः	ए	वहे	महे

Note – पित् affixes will cause guna, hence shown. After guna, the tag letter पकार drops.

We see there are in all 18 + 18 + 1 = 37 distinct affixes for the Sarvadhatuka लट् ।

<u>Derivation procedure is simply</u>

Root + Gana Vikarana + Affix.

Atmanepada Derivation Sutras for Regular Ganas

7.2.81 आतः ङितः । अतः इयः सार्वधातुके अङ्गस्य । The आकार belonging to a सार्वधातुक ङित् affix (all Atmanepada affixes for regular लकार (लट् लोट् लङ् वि०लि०) is replaced by इय् , When it follows an Anga ending in अकार (i.e. all regular conjugational roots 1c, 4c, 6c, 10c).
6.1.64 लोपो व्योर्वलि । The व् or य् followed by a वल् letter get dropped.

Atmanepada लट् Ting Affixes for Regular Ganas

1.3.3			7.1.3		
त	आताम्	झ	त	आताम्	अन्त
थास्	आथाम्	ध्वम्	थास्	आथाम्	ध्वम्
इ	वहि	महि	इट्	वहि	महि

3.4.79

ते	आते	अन्ते
थास्	आथे	ध्वे
ए	वहे	महे

3.4.80

ते	आते	अन्ते
से	आथे	ध्वे
ए	वहे	महे

7.2.81

ते	इय् ते	अन्ते
से	इय् थे	ध्वे
ए	वहे	महे

6.1.64

ते	इ ते	अन्ते
से	इ थे	ध्वे
ए	वहे	महे

Atmanepada Derivation Sutras for Irregular Ganas

3.4.79 टितः आत्मनेपदानाम् टेः ए । लस्य धातोः प्रत्ययः परश्च । For टित् लकार (लट् लोट्) टि portion of Atmane is replaced by ए ।
1.1.64 अचोऽन्त्यादि टि । For an entity, the final vowel (and subsequent consonant if any) is called टि ।
7.1.5 आत्मनेपदेषु अनतः । अत् झ प्रत्ययस्य अङ्गस्य । The झ् portion that follows अनतः Anga, is replaced by अत् ।
3.4.80 थासः से [टित् लस्य] । थास् affix of टित् लकार gets replaced by से ।
8.3.59 आदेशः प्रत्यययोः । सः मूर्धन्यः संहितायाम् । affix सि ii/1 replaced by षि for some roots.
8.2.66 स-सजुषोः । रुँः final सकार of word → रेफ ।
8.3.15 खर्-अवसानयोः । विसर्जनीयः रः । final रेफ of a word becomes visarga when followed by खर् or virama (।). Together the sutras 8.2.66 / 8.3.15 are called रुत्व-विसर्गौ ।

Atmanepada लट् Ting Affixes for Irregular Ganas

1.3.3

त	आताम्	झ
थास्	आथाम्	ध्वम्
इ	वहि	महि

7.1.5

त	आताम्	अत
थास्	आथाम्	ध्वम्
इ	वहि	महि

3.4.79			3.4.80		
ते	आते	अते	ते	आते	अते
थास्	आथे	ध्वे	से	आथे	ध्वे
ए	वहे	महे	ए	वहे	महे

Differences in Ting Affixes for Regular/Irregular

We see that the iii/3 Third Person Plural affix is different.

Final Parasmaipada Ting Affixes for Reduplicated Gana 3c

तिप्	तस्	अति
सिप्	थस्	थ
मिप्	वस्	मस्

Final Atmanepada Ting Affixes for Regular Ganas

ते	आते	अन्ते
से	आथे	ध्वे
ए	वहे	महे

Final Atmanepada Ting Affixes for Irregular Ganas

ते	आते	अते
से	आथे	ध्वे
ए	वहे	महे

26

2. Past Tense लङ् LAng

3.2.111 अनद्यतने लङ् । 6.4.71 / 6.4.72 अट् / आट् augment for consonant / vowel beginning Roots.

Primary तिङ् Affixes

Parasmaipada			Atmanepada		
तिप्	तस्	झि	त	आताम्	झ
सिप्	थस्	थ	थास्	आथाम्	ध्वम्
मिप्	वस्	मस्	इट्	वहि	महिङ्

Modified तिङ् Affixes for लङ् without Tag

Parasmaipada			Atmanepada		
त्	ताम्	अन्	त	इताम्	अन्त
ः	तम्	त	थाः	इथाम्	ध्वम्
अम्	व	म	इ	वहि	महि

लङ् Affixes Regular Ganas (Dhatus 1c, 4c, 6c, 10c)

Parasmaipada लङ्			Atmanepada लङ्		
त् प्	ताम्	अन्	त	इताम्	अन्त
ः प्	तम्	त	थाः	इथाम्	ध्वम्
अम् प्	व	म	इ	वहि	महि

Note – पित् affixes will cause guna, hence indicated.

लङ् Affixes Irregular Ganas (Dhatus 2c, 5c, 7c, 8c, 9c)

Parasmaipada लङ्			Atmanepada लङ्		
त् प्	ताम्	अन्	त	आताम्	अत
ः प्	तम्	त	थाः	आथाम्	ध्वम्
अम् प्	व	म	इ	वहि	महि

Note – पित् affixes will cause guna, hence indicated.

लङ् Affixes Reduplicated Gana Dhatus 3c and 7 Roots of 2c जक्षँ जागृ दरिद्रा चकासृ शासु दीधीङ् वेवीङ्

Parasmaipada लङ्			Atmanepada लङ्		
त् प्	ताम्	उः	त	आताम्	अत
ः प्	तम्	त	थाः	आथाम्	ध्वम्
अम् प्	व	म	इ	वहि	महि

Note – पित् affixes will cause guna, hence shown here.

We see there are in all 18 + 18 + 1 = 37 distinct affixes for the Sarvadhatuka लङ् ।

<u>Derivation procedure is simply</u>

[अ / आ] + Root + Gana Vikarana + Affix.

All Gana Parasmaipada Steps लङ् Affixes

Primary Affixes

तिप्	तस्	झि
सिप्	थस्	थ
मिप्	वस्	मस्

Derivation Steps

3.4.99

तिप्	तस्	झि
सिप्	थस्	थ
मिप्	व	म

3.4.100

त् प्	तस्	झ्
स् प्	थस्	थ
म् प्	व	म

7.1.3

त् प्	तस्	अन्त्
स् प्	थस्	थ
म् प्	व	म

8.2.23

त् प्	तस्	अन्
स् प्	थस्	थ
म् प्	व	म

3.4.101

त् प्	ताम्	अन्
स् प्	तम्	त
अम् प्	व	म

3.4.109 reduplicated roots

त् प्	ताम्	जुस्
स् प्	तम्	त
अम् प्	व	म

1.3.7 , 8.2.66 / 8.3.15

त् प्	ताम्	उ:
स् प्	तम्	त
अम् प्	व	म

3.4.111 for आकारान्त Roots			1.3.7		
त् प्	ताम्	अन् / जुस्	त् प्	ताम्	अन् / उस्
स् प्	तम्	त	स् प्	तम्	त
अम् प्	व	म	अम् प्	व	म

8.2.66 / 8.3.15

त् प्	ताम्	अन् / उः
ः प्	तम्	त
अम् प्	व	म

6.4.71 अट् augment for हलादि consonant beginning Roots.

6.4.72 आट् augment for अजादि vowel beginning Roots.

Parasmaipada लङ् Affixes for consonant beginning Roots

अ + Root + त् प्	अ + Root + ताम्	अ + Root + अन् / उः
अ + Root + ः प्	अ + Root + तम्	अ + Root + त
अ + Root + अम् प्	अ + Root + व	अ + Root + म

Parasmaipada लङ् Affixes for vowel beginning Roots

आ + Root + त् प्	आ + Root + ताम्	आ + Root + अन् / उः
आ + Root + ः प्	आ + Root + तम्	आ + Root + त
आ + Root + अम् प्	आ + Root + व	आ + Root + म

Regular Gana Atmanepada Steps लङ् Affixes

Primary Affixes

त	आताम्	झ
थास्	आथाम्	ध्वम्
इट्	वहि	महिङ्

Derivation Steps

7.1.3

त	आताम्	अन्त
थास्	आथाम्	ध्वम्
इट्	वहि	महिङ्

7.2.81

त	इय्ताम्	अन्त
थास्	इय्थाम्	ध्वम्
इट्	वहि	महिङ्

6.1.64

त	इताम्	अन्त
थास्	इथाम्	ध्वम्
इट्	वहि	महिङ्

8.2.66 / 8.3.15

त	इताम्	अन्त
थाः	इथाम्	ध्वम्
इट्	वहि	महिङ्

1.3.3

त	इताम्	अन्त
थाः	इथाम्	ध्वम्
इ	वहि	महि

Regular Gana Atmanepada लङ् Affixes

त	इताम्	अन्त
थाः	इथाम्	ध्वम्
इ	वहि	महि

31

Irregular Gana Atmanepada Steps लङ् Affixes

Primary Affixes

त	आताम्	झ
थास्	आथाम्	ध्वम्
इट्	वहि	महिङ्

7.1.5

त	आताम्	अत
थास्	आथाम्	ध्वम्
इट्	वहि	महिङ्

8.2.66 / 8.3.15

त	आताम्	अत
थाः	आथाम्	ध्वम्
इट्	वहि	महिङ्

1.3.3

त	इताम्	अन्त
थाः	इथाम्	ध्वम्
इ	वहि	महि

Irregular Gana Atmanepada लङ् Affixes

त	इताम्	अन्त
थाः	इथाम्	ध्वम्
इ	वहि	महि

3. Imperative Mood लोट् LOṭ

3.3.162 लोट् च ।

Primary तिङ् Affixes

Parasmaipada			Atmanepada		
तिप्	तस्	झि	त	आताम्	झ
सिप्	थस्	थ	थास्	आथाम्	ध्वम्
मिप्	वस्	मस्	इट्	वहि	महिङ्

Modified तिङ् Affixes for लोट् without Tag

Parasmaipada			Atmanepada		
तु / तात्	ताम्	अन्तु	ताम्	इताम्	अन्ताम्
- / तात्	तम्	त	स्व	इथाम्	ध्वम्
आनि	आव	आम	ऐ	आवहै	आमहै

लोट् Affixes Regular Ganas (Dhatus 1c, 4c, 6c, 10c)

Parasmaipada लोट्			Atmanepada लोट्		
तुप् / तात्	ताम्	अन्तु	ताम्	इताम्	अन्ताम्
-प् / तात्	तम्	त	स्व	इथाम्	ध्वम्
आनिप्	आवप्	आमप्	ऐप्	आवहैप्	आमहैप्

लोट् Affixes Irregular Ganas (Dhatus 2c, 5c, 7c, 8c, 9c)

Parasmaipada लोट्			Atmanepada लोट्		
तुप् / तात्	ताम्	अन्तु	ताम्	आताम्	अताम्
हि / तात्	तम्	त	स्व	आथाम्	ध्वम्
आनिप्	आवप्	आमप्	ऐप्	आवहैप्	आमहैप्

Note – पित् affixes will cause guna, hence indicated.

लोट् Affixes Reduplicated Gana (Dhatus 3c, and अभ्यस्त जक्षित्यादयः षट् 7 Dhatus of 2c - जक्षँ जागृ दरिद्रा चकासृ शासु दीधीङ् वेवीङ्)

Parasmaipada लोट्			Atmanepada लोट्		
तुप् / तात्	ताम्	अतु	ताम्	आताम्	अताम्
हि / तात्	तम्	त	स्व	आथाम्	ध्वम्
आनिप्	आवप्	आमप्	ऐप्	आवहैप्	आमहैप्

Note – पित् affixes will cause guna, hence indicated.

Note: The dropped लोट् affix in case of ii/1 Regular ganas is also counted as a distinct affix.

We see there are in all 20 + 20 + 1 = 41 distinct affixes for the Sarvadhatuka लोट् ।

Derivation procedure is simply

Root + Gana Vikarana + Affix.

Relevant Sutras for लोट् Affixes

1.3.7 चुटू । इत् । In Upadesha, the beginning चवर्ग and टवर्ग are tag letters.
3.4.79 टित आत्मनेपदानां टेरे । For the टित् लकार the टि portion of Atmanepada affixes is replaced by ए ।
3.4.80 थासस्से । थास् gets replaced by से ।
3.4.85 लोटो लङ्वत् । The affixes for लोट् follow those of लङ् लकार & Sutra 5.1.116 तत्र तस्येव । Applies to 3.4.99 and 3.4.101 sutras.
3.4.86 एरुः । लोट् । इ of तिङ् affixes for लोट् is replaced by उ, Here एः is the 6/1 rupa of pratipadika इ ।
3.4.87 सेः हि अपित् च । लोट् । Affix सि is replaced with हि (entirely by 1.1.55 अनेकाल्-शित्-सर्वस्य) for लोट् & it becomes अपित् । ONLY for Irregular conjugational groups. For Regular conjugations, हि is permanently dropped by 6.4.105 अतः हेः ।
3.4.89 मेर्निः । लोटः । Affix मिप् i/1 for लोट् लकार is replaced by नि ।
3.4.90 आमेतः । लोट् । For लोट् the एत् portion of atmanepada affix gets replaced by आम् । by 3.4.79 त iii/1 आताम् iii/2 झ iii/3 had become ते, आते, झे, Now they became ताम्, आताम्, झाम् ।
3.4.91 सवाभ्यां वामौ । एतः लोटः । लोट् affixes containing स् or व् (से ii/1, ध्वे ii/3, for these, the ए that comes in by 3.4.79 gets replaced by व & अम् resp.
3.4.92 आडुत्तमस्य पिच्च । लोटः । The उत्तम पुरष लोट् first person affixes get the आट् augment, and are treated as पित् ।
3.4.93 एतः ऐ । उत्तमस्य लोट् । Now ए i/1 becomes ऐ by this sutra that says the ए affix of Uttamapurusha gets replaced by ऐ ।

3.4.99 नित्यं ङितः । सः उत्तमस्य लोपः लस्य । For ङित् लकारs (लङ् लिङ् etc) सकार of 1st person वस्[i/2] & मस्[i/3] always drop.
3.4.101 तस्थस्थमिपां तान्तंतामः । ङित् लस्य । For ङित् लकार (लङ् लिङ्), तस् iii/2 थस् ii/2 थ ii/3 मिप् i/1 replaced by ताम् तम् त अम् resp.
6.1.64 लोपो व्योर्वलि । The व् or य् followed by a वल् letter get dropped.
6.1.88 वृद्धिरेचि । affix i/1 became आ ऐ, Now by Vriddhi Sandhi, both replaced by ऐ ।
6.1.90 आटश्च । वृद्धिः एकः पूर्वपरयोः अचि । During Sandhi when आट् is followed by अच् Then both are replaced by Vriddhi letter for the अच् ।
6.4.101 हु-झल्भ्यो हेः धिः । हलि । For root हु[3c] and for angas ending in झल् the affix हि is replaced by धि ।
7.1.3 झोऽन्तः । A तिङ् affix containing झ् (facing an अङ्ग) is replaced by अन्त् । 7.1.4 अत् अभ्यस्तात् । झः प्रत्ययस्य । For an अभ्यस्त reduplicated Anga, the झ् portion is replaced by अत् । i.e. for 3c roots, झि → अति and for 7 already reduplicated Roots of 2c. This rule applies for Parasmaipada Affix. 7.1.5 आत्मनेपदेषु अनतः । अत् झः । For अन्-अत् Anga (Irregular ganas) झ is replaced by अत् in Atmanepada.
7.1.35 तुह्योस्तातङ्ङाशिष्यन्यतरस्याम् । When the Imperative Mood is used in the sense of a blessing, the तु and हि affixes optionally get तातङ् = तात्-अङ् adesha. Here ङ् is a Tag letter and gets dropped, while अकार is simply for enunciation, hence तात् adesha.
7.2.81 आतः ङितः । अतः इयः सार्वधातुके । The आकार belonging to a

सार्वधातुक ङित् affix (i.e. all Atmanepada affixes for regular लकार (लट् लोट् लङ् विधिलिङ्) is replaced by इय्, When it follows an Anga ending in अकार (regular conjugational roots 1c, 4c, 6c, 10c). 8.3.59 आदेशः प्रत्यययोः । For some roots, the ii/1 affix स् gets replaced by ष् ।

Regular Gana Parasmaipada Steps लोट् Affixes

Primary Affixes

तिप्	तस्	झि
सिप्	थस्	थ
मिप्	वस्	मस्

Derivation Steps 3.4.85, 5.1.116

3.4.99			3.4.101		
तिप्	तस्	झि	तिप्	ताम्	झि
सिप्	थस्	थ	सिप्	तम्	त
मिप्	व	म	मिप्	व	म

7.1.3			3.4.86		
तिप्	ताम्	अन्ति	तुप्	ताम्	अन्तु
सिप्	तम्	त	सिप्	तम्	त
मिप्	व	म	मिप्	व	म

3.4.87			6.4.105		
तुप्	ताम्	अन्तु	तुप्	ताम्	अन्तु
हिप्	तम्	त	-प्	तम्	त
मिप्	व	म	मिप्	व	म

3.4.89			3.4.92		
तुप्	ताम्	अन्तु	तुप्	ताम्	अन्तु
-प्	तम्	त	-प्	तम्	त
निप्	व	म	आनिप्	आवप्	आमप्

7.1.35		
तुप् / तात्	ताम्	अन्तु
-प् / तात्	तम्	त
आनिप्	आवप्	आमप्

Irregular Gana Parasmaipada Steps लोट् Affixes

Primary Affixes

तिप्	तस्	झि
सिप्	थस्	थ
मिप्	वस्	मस्

Derivation Steps 3.4.85, 5.1.116

3.4.99			3.4.101		
तिप्	तस्	झि	तिप्	ताम्	झि
सिप्	थस्	थ	सिप्	तम्	त
मिप्	व	म	मिप्	व	म

38

7.1.3

तिप्	ताम्	अन्ति
सिप्	तम्	त
मिप्	व	म

7.1.4 Reduplicated Roots

तुप्	ताम्	अति
सिप्	तम्	त
मिप्	व	म

3.4.86

तुप्	ताम्	अन्तु / अतु
सिप्	तम्	त
मिप्	व	म

3.4.87

तुप्	ताम्	अन्तु / अतु
हिप्	तम्	त
मिप्	व	म

3.4.89

तुप्	ताम्	अन्तु / अतु
हिप्	तम्	त
निप्	व	म

3.4.92

तुप्	ताम्	अन्तु / अतु
हिप्	तम्	त
आनिप्	आवप्	आमप्

7.1.35

तुप् / तात्	ताम्	अन्तु / अतु
हिप् / तात्	तम्	त
आनिप्	आवप्	आमप्

Regular Gana Atmanepada Steps लोट् Affixes

Primary Affixes

त	आताम्	झ
थास्	आथाम्	ध्वम्
इट्	वहि	महिङ्

Derivation Steps

3.4.79			3.4.80		
ते	आते	झे	ते	आते	झे
थास्	आथे	ध्वे	से	आथे	ध्वे
ए	वहे	महे	ए	वहे	महे

3.4.90			3.4.91		
ताम्	आताम्	झाम्	ताम्	आताम्	झाम्
से	आथाम्	ध्वे	स्व	आथाम्	ध्वम्
ए	वहे	महे	ए	वहे	महे

3.4.92			3.4.93		
ताम्	आताम्	झाम्	ताम्	आताम्	झाम्
स्व	आथाम्	ध्वम्	स्व	आथाम्	ध्वम्
आएप्	आवहेप्	आमहेप्	आऐप्	आवहैप्	आमहैप्

6.1.90			7.2.81		
ताम्	आताम्	झाम्	ताम्	इय्ताम्	झाम्
स्व	आथाम्	ध्वम्	स्व	इय्थाम्	ध्वम्
ऐप्	आवहैप्	आमहैप्	ऐप्	आवहैप्	आमहैप्

6.1.64			7.1.3		
ताम्	इताम्	झाम्	ताम्	इताम्	अन्ताम्
स्व	इथाम्	ध्वम्	स्व	इथाम्	ध्वम्
ऐप्	आवहैप्	आमहैप्	ऐप्	आवहैप्	आमहैप्

Irregular Gana Atmanepada Steps लोट् Affixes

Primary Affixes

त	आताम्	झ
थास्	आथाम्	ध्वम्
इट्	वहि	महिङ्

Derivation Steps

3.4.79

ते	आते	झे
थास्	आथे	ध्वे
ए	वहे	महे

3.4.80

ते	आते	झे
से	आथे	ध्वे
ए	वहे	महे

3.4.90

ताम्	आताम्	झाम्
से	आथाम्	ध्वे
ए	वहे	महे

3.4.91

ताम्	आताम्	झाम्
स्व	आथाम्	ध्वम्
ए	वहे	महे

3.4.92

ताम्	आताम्	झाम्
स्व	आथाम्	ध्वम्
आएप्	आवहेप्	आमहेप्

3.4.93

ताम्	आताम्	झाम्
स्व	आथाम्	ध्वम्
आऐप्	आवहैप्	आमहैप्

6.1.90

ताम्	आताम्	झाम्
स्व	आथाम्	ध्वम्
ऐप्	आवहैप्	आमहैप्

7.1.5

ताम्	आताम्	अताम्
स्व	आथाम्	ध्वम्
ऐप्	आवहैप्	आमहैप्

4. Potential Mood विधिलिङ् VidhiLing (Optative)

3.3.161 विधिनिमन्त्रणामन्त्रणाधीष्टसंप्रश्नप्रार्थनेषु लिङ् ।

Primary तिङ् Affixes

Parasmaipada			Atmanepada		
तिप्	तस्	झि	त	आताम्	झ
सिप्	थस्	थ	थास्	आथाम्	ध्वम्
मिप्	वस्	मस्	इट्	वहि	महिङ्

Modified तिङ् Affixes for विधिलिङ् without Tag

Parasmaipada			Atmanepada		
इत्	इताम्	इयुः	ईत	ईयाताम्	ईरन्
इः	इतम्	इत	ईथाः	ईयाथाम्	ईध्वम्
इयम्	इव	इम	ईय	ईवहि	ईमहि

Modified Ting Affixes for VidhiLing Lakara

Regular Ganas (1c, 4c, 6c, 10c Dhatus)

Parasmaipada विधिलिङ्			Atmanepada विधिलिङ्		
इत्	इताम्	इयुः	ईत	ईयाताम्	ईरन्
इः	इतम्	इत	ईथाः	ईयाथाम्	ईध्वम्
इयम्	इव	इम	ईय	ईवहि	ईमहि

In this case there are no पित् affixes.

विधिलिङ् Affixes Irregular Ganas (Dhatus 2c, 3c, 5c, 7c, 8c, 9c)

Parasmaipada विधिलिङ्			Atmanepada विधिलिङ्		
यात्	याताम्	युः	ईत	ईयाताम्	ईरन्
याः	यातम्	यात	ईथाः	ईयाथाम्	ईध्वम्
याम्	याव	याम	ईय	ईवहि	ईमहि

In this case there are no पित् affixes.

We see there are in all 18 + 18 = 36 distinct affixes for the Sarvadhatuka विधिलिङ् ।

Derivation procedure is simply

Root + Gana Vikarana + Affix.

Relevant Sutras for विधिलिङ् Affixes

3.4.99 नित्यं ङितः । [सः उत्तमस्य लोपः लस्य] For ङित् लकारs (लङ् लिङ्) सकार of 1st person वस्$^{i/2}$ & मस्$^{i/3}$ always drops.
3.4.100 इतः च । [लस्य लोपः नित्यं ङितः] इ portion of ङित् लकार (लङ् लिङ् etc) always drops (तिप् सिप् मिप् अन्ति → त् स् म् अन्त् ।
3.4.101 तस्थस्थमिपां तान्तंतामः । [ङित् लस्य] For ङित् लकारs (लङ् लिङ् लुङ् लृङ्) affixes तस्$^{iii/2}$ थस्$^{ii/2}$ थ$^{ii/3}$ मिप्$^{i/1}$ are replaced by ताम् तम् त अम् resp.
3.4.102 लिङः सीयुँट् । The लिङ् लकारs get सीय् आगमः ।
3.4.103 यासुट् परस्मैपदेषु-उदात्तो ङिच्च । Parasmaipada लिङ् लकारs (विधिलिङ् , आशीर्लिङ्) get यासुँट् augment (यास्) & become ङित् ।
3.4.105 झस्य रन् । [लिङः] झ affix of लिङ् लकारs gets replaced by रन् । Complete affix by 1.1.55 अनेकाल्-शित् सर्वस्य ।
3.4.106 इटः अत् । [लिङः] इट् affix of लिङ् लकारs gets replaced by अत् । Complete affix by 1.1.55. By 1.3.4 न विभक्तौ तुस्माः । Final न् of vibhakti is not a tag letter.
3.4.107 सुट् तिथोः । [लिङः] The त् & थ् affixes of लिङ् लकारs (विधिलिङ् , आशीर्लिङ्) get the सुँट् augment (= स्) viz Parasmaipada affixes iii/1, iii/2, ii/2, ii/3. Atmanepada iii/1, iii/2, ii/1, ii/2.
3.4.108 झेर्जुस् । [लिङः] झि iii/3 affix of लिङ् लकारs (विधिलिङ् , आशीर्लिङ्) gets replaced with जुस् i.e. उस् (by 1.3.7 चुटु । initial ज् is a tag letter).

6.1.66 लोपः व्योः वलि । When वल् letter (any consonant except य्) follows, Then the preceding व् or य् gets dropped.

6.1.96 उस्यपदान्तात् । [पररूपम् आत् एकः पूर्वपरयोः] When anga ending in अकार faces affix उस् , by pararupa sandhi both get replaced by उ ।

6.1.101 अकः सवर्णे दीर्घः । Svarna Dirgha Sandhi.

6.1.5 उभे अभ्यस्तम् । Following Sutra gives अभ्यस्तसंज्ञा Roots.

6.1.6 जक्षित्यादयः षट् । The 7 Dhatus of 2c get अभ्यस्तसंज्ञा - जक्षँ, जागृ, दरिद्रा, चकासृ, शासु, दीधीङ्, वेवीङ् ।

7.2.79 लिङः सलोपोऽनन्त्यस्य । Non-final सकार of सार्वधातुक लिङ् लकार (विधिलिङ्) gets dropped.

7.2.80 अतो येयः । For Sarvadhatuka लिङ् the या portion of affix gets इय् आदेश ।

Note: ईयत् and ईरन्

1.3.3 हल् अन्त्यम् । [उपदेशे] This sutra drops final consonants as Tag letters. For words listed in texts Upadesha, i.e.
- Maheshwar Sutras
- Ashtadhyayi of Panini
- Dhatupatha of Panini
- Linganushasana of Panini
- Vartikas of Katyayana

Thus प्रत्यय, आदेश, आगम, धातु all get covered by 1.3.3.

Its exception by 1.3.4 न विभक्तौ तुस्माः । Covers only vibhaktis, i.e. तिङ् and सुँप् affixes. Hence त् of ईयत् is a tag letter, since ईयत् is not a Vibhakti. However न् of ईरन् is not a tag letter, since ईरन् is a Vibhakti.

Both ईयत् and ईरन् have same status as आदेश ।
So by 1.3.4 both should have been tag letters.

Note: अत् and यात्

1.3.4 does not cover आदेश, here, अत् has come as आदेश and so its त् is a tag letter and will be dropped by 1.3.3.

Whereas in यात् iii/1 the final त् remains.

Regular Gana Parasmaipada Derivation विधिलिङ् Affixes

Regular Ganas (1c, 4c, 6c, 10c Dhatus)

Primary Affixes Parasmaipada			Final Parasmaipada विधिलिङ्		
तिप्	तस्	झि	इत्	इताम्	इयुः
सिप्	थस्	थ	इः	इतम्	इत
मिप्	वस्	मस्	इयम्	इव	इम

Derivation Steps

3.4.99 आदेश

तिप्	तस्	झि
सिप्	थस्	थ
मिप्	**व**	**म**

3.4.108 आदेश

तिप्	तस्	**जुस्**
सिप्	थस्	थ
मिप्	व	म

3.4.100 आदेश

त् प्	तस्	जुस्
स् प्	थस्	थ
म् प्	व	म

3.4.101 आदेश

त् प्	**ताम्**	जुस्
स् प्	**तम्**	त
अम् प्	व	म

3.4.103 आदेश

यास् त्	यास् ताम्	यास् जुस्
यास् स्	यास् तम्	यास् त
यास् अम्	यास् व	यास् म

3.4.107 आगम

यास् स् त्	यास् स् ताम्	यास् जुस्
यास् स्	यास् स् तम्	यास् स् त
यास् अम्	यास् व	यास् म

7.2.79 आदेश

या त्	या ताम्	या जुस्
या स्	या तम्	या त
या अम्	या व	या म

7.2.80 आदेश

इय् त्	इय् ताम्	इय् जुस्
इय् स्	इय् तम्	इय् त
इय् अम्	इय् व	इय् म

1.3.7 Tag letter drops

इय् त्	इय् ताम्	इय् उस्
इय् स्	इय् तम्	इय् त
इय् अम्	इय् व	इय् म

6.1.66 आदेश

इ त्	इ ताम्	इय् उस्
इ स्	इ तम्	इ त
इय् अम्	इ व	इ म

8.2.66, 8.3.15 सन्धि

इ त्	इ ताम्	इय् उ:
इ:	इ तम्	इ त
इय् अम्	इ व	इ म

Final Parasmaipada विधिलिङ्

इत्	इताम्	इयु:
इ:	इतम्	इत
इयम्	इव	इम

Regular Ganas (1c, 4c, 6c, 10c Dhatus)

IrRegular Gana Parasmaipada Derivation विधिलिङ् Affixes

Irregular Ganas (Dhatus 2c, 5c, 7c, 8c, 9c)

Primary Affixes Parasmaipada

तिप्	तस्	झि
सिप्	थस्	थ
मिप्	वस्	मस्

Final Parasmaipada विधिलिङ्

यात्	याताम्	युः
याः	यातम्	यात
याम्	याव	याम

Derivation Steps

3.4.99 आदेश

तिप्	तस्	झि
सिप्	थस्	थ
मिप्	**व**	**म**

3.4.108 आदेश

तिप्	तस्	**जुस्**
सिप्	थस्	थ
मिप्	व	म

3.4.100 आदेश

त् प्	तस्	जुस्
स् प्	थस्	थ
म् प्	व	म

3.4.101 आदेश

त् प्	**ताम्**	जुस्
स् प्	**तम्**	**त**
अम् प्	व	म

3.4.103 आदेश

यास्त्	**यास्**ताम्	**यास्**जुस्
यास्स्	**यास्**तम्	**यास्**त
यास्अम्	**यास्**व	**यास्**म

3.4.107 आगम

यास् **स्**त्	यास् **स्**ताम्	यास्जुस्
यास्स्	यास् **स्**तम्	यास् **स्**त
यास्अम्	यास्व	यास्म

7.2.79 आदेश

या त्	या ताम्	या जुस्
या स्	या तम्	या त
या अम्	या व	या म

1.3.7 Tag letter drops

या त्	या ताम्	या उस्
या स्	या तम्	या त
या अम्	या व	या म

6.1.96 सन्धि

या त्	या ताम्	युस्
या स्	या तम्	या त
या अम्	या व	या म

6.1.101 सन्धि

या त्	या ताम्	युस्
या स्	या तम्	या त
या म्	या व	या म

8.2.66, 8.3.15 सन्धि

या त्	या ताम्	युः
याः	या तम्	या त
या म्	या व	या म

Final Parasmaipada विधिलिङ्

यात्	याताम्	युः
याः	यातम्	यात
याम्	याव	याम

Irregular Ganas (Dhatus 2c, 5c, 7c, 8c, 9c)

Atmanepada Derivation Regular/IrRegular विधिलिङ् Affixes

All Dhatus (Regular 1c, 4c, 6c, 10c, IrRegular 2c, 3c, 5c, 7c, 8c, 9c)

Primary Affixes Atmanepada			Final Atmanepada विधिलिङ्		
त	आताम्	झ	ईत्	ईयाताम्	ईरन्
थास्	आथाम्	ध्वम्	ईथाः	ईयाथाम्	ईध्वम्
इट्	वहि	महिङ्	ईय	ईवहि	ईमहि

Derivation Steps

3.4.102 आदेश

सीय् त	सीय् आताम्	सीय् झ
सीय् थास्	सीय् आथाम्	सीय् ध्वम्
सीय् इट्	सीय् वहि	सीय् महिङ्

3.4.105 आदेश

सीय् त	सीय् आताम्	सीय् रन्
सीय् थास्	सीय् आथाम्	सीय् ध्वम्
सीय् इट्	सीय् वहि	सीय् महिङ्

3.4.106 आदेश

सीय् त	सीय् आताम्	सीय् रन्
सीय् थास्	सीय् आथाम्	सीय् ध्वम्
सीय् अत्	सीय् वहि	सीय् महिङ्

3.4.107 आदेश

सीय् स् त	सीय् आस् ताम्	सीय् रन्
सीय् स् थास्	सीय् आस् थाम्	सीय् ध्वम्
सीय् अत्	सीय् वहि	सीय् महिङ्

3.4.107 आदेश rewritten for next sutra

स्ईय् स् त	स्ईय् आस् ताम्	स्ईय् रन्
स्ईय् स् थास्	स्ईय् आस् थाम्	स्ईय् ध्वम्
स्ईय् अत्	स्ईय् वहि	स्ईय् महिङ्

7.2.79 आदेश

ईय् त	ईय् आ ताम्	ईय् रन्
ईय् थास्	ईय् आ थाम्	ईय् ध्वम्
ईय् अत्	ईय् वहि	ईय् महिङ्

6.1.66 आदेश

ई त	ईय् आ ताम्	ई रन्
ई थास्	ईय् आ थाम्	ई ध्वम्
ईय् अत्	ई वहि	ई महिङ्

After 6.1.66 आदेश rewritten

ईत	ईयाताम्	ईरन्
ईथास्	ईयाथाम्	ईध्वम्
ईयत्	ईवहि	ईमहिङ्

1.3.3 Tag letter drops

ईत	ईयाताम्	ईरन्
ईथास्	ईयाथाम्	ईध्वम्
ईयत्	ईवहि	ईमहि

8.2.66, 8.3.15 सन्धि

ईत	ईयाताम्	ईरन्
ईथाः	ईयाथाम्	ईध्वम्
ईयत्	ईवहि	ईमहि

Final Atmanepada विधिलिङ्

ईत्	ईयाताम्	ईरन्
ईथाः	ईयाथाम्	ईध्वम्
ईय	ईवहि	ईमहि

All Dhatus (Regular 1c, 4c, 6c, 10c, IrRegular 2c, 3c, 5c, 7c, 8c, 9c)

Derivation आकारान्त Roots विधिलिङ् Affixes

3.4.111 for आकारान्त Roots

त् प्	ताम्	अन् / जुस्
स् प्	तम्	त
अम् प्	व	म

1.3.7

त् प्	ताम्	अन् / उस्
स् प्	तम्	त
अम् प्	व	म

8.2.66 / 8.3.15

त् प्	ताम्	अन् / उः
◌ः प्	तम्	त
अम् प्	व	म

Count of Affixes for Sarvadhatuka Ting Lakaras

3.4.113 तिङ्शित्सार्वधातुकम् । Affixes of तिङ् Lakaras, and Affixes that have श् as Tag Letter, when these affixes are affixed to a Dhatu, are called Sarvadhatuka.

Count of distinct affixes for Sarvadhatuka तिङ् Lakaras:

Sarvadhatuka लट् = 37

Sarvadhatuka लङ् = 37

Sarvadhatuka लोट् = 41

Sarvadhatuka विधिलिङ् = 36

Sarvadhatuka Vedic लेट् = 64

Total Sarvadhatuka तिङ् Ting Affixes = 215

Ardhadhatuka आर्धधातुक तिङ् लकार

3.4.114 आर्धधातुकं शेष: । All the remaining Affixes listed in the Ashtadhyayi, when these affixes are affixed to a Dhatu, are called Ardhadhatuka.

The Ardhadhatuka Ting Lakara Affixes are:
- लृट् Simple Future Tense, now onwards
- आशीर्लिङ् Benedictive Mood
- लिट् Perfect Past Tense, unseen past
- लुट् Periphrastic Future Tense, tomorrow onwards
- लुङ् Aorist Past Tense
- लृङ् Conditional Mood
- आर्धधातुक लेट् Direct Order Vedic usage

For applying these Ardhadhatuka Ting Lakara affixes, the Gana Vikarana is NOT used. e.g. भू + यात् → भूयात् । आशीर्लिङ् iii/1 Third person singular Benedictive Mood. However a **vikarana** affix specific to Ardhadhatuka Ting affix, and **Idagam** augment (for सेट् वेट् Roots) gets applied.

1) 3.3.13 लृट् शेषे च Simple Future Tense, now onwards
2) 3.3.173 आशिषि लिङ्-लोटौ (आशीर्लिङ्) Benedictive Mood
3) 3.2.115 परोक्षे लिट् Perfect Past Tense, unseen past
   3.2.105 छन्दसि लिट् Perfect Past Tense, Vedic usage
4) 3.3.15 अन्-अद्यतने लुट् Periphrastic Future Tense, tomorrow on
5) 3.2.110 लुङ् Aorist Past Tense, now onwards
6) 3.3.139 लिङ्-निमित्ते लृङ् क्रियातिपत्तौ Conditional Mood
7) 3.4.7 लिङ्-अर्थे लेट् (आर्धधातुक) Direct Order, Vedic usage

1.2.4 सार्वधातुकम् अपित् । By extrapolation of this Sutra, we see that only Sarvadhatuka Affixes get the पित् / अपित् Tag. Thus Ardhadhatuka Affixes do not have पित् / अपित् Tag.

Ardhadhatuka Affixes are of the types:
तिङ् Ting, कृत् Krit, विकरण Vikarana, अन्य Others.

5. Simple Future Tense लृट् Lrit (2nd Future)

3.3.13 लृट् शेषे च । 3.4.78 तिप्तस्झि० । 3.1.33 स्यतासी लृलुटोः । स्य is prefixed to लृट् and लृङ् affixes. तास् is prefixed to लुट् affixes. 3.4.113 तिङ्शित्सार्वधातुकम् । 3.4.114 आर्धधातुकं शेषः । Due to स्य all लृट् affixes can cause Guna by 7.3.84 सार्वधातुकार्धधातुकयोः । 7.3.86 पुगन्तलघूपधस्य च । Guna happens for appropriate Roots.

Primary Ting Affixes

Parasmaipada			Atmanepada		
तिप्	तस्	झि	त	आताम्	झ
सिप्	थस्	थ	थास्	आथाम्	ध्वम्
मिप्	वस्	मस्	इट्	वहि	महिङ्

We begin with affixes for लट् Present Tense.

Modified तिङ् Affixes for लट् without Tag

Parasmaipada			Atmanepada		
ति	तः	अन्ति	ते	इते	अन्ते
सि	थः	थ	से	इथे	ध्वे
मि	वः	मः	ए	वहे	महे

Modified Ting Affixes for लृट् LRit Lakara prefixed with स्य

Only अनिट् ANit Dhatus (1c, 2c, 3c, 4c, 5c, 6c, 7c, 8c, 9c, 10c)

Parasmaipada लृट्			Atmanepada लृट्		
स्यति	स्यतः	स्यन्ति	स्यते	स्येते	स्यन्ते
स्यसि	स्यथः	स्यथ	स्यसे	स्येथे	स्यध्वे
स्यामि	स्यावः	स्यामः	स्ये	स्यावहे	स्यामहे

Note –All Affixes are prefixed with स्य and will cause Guna.

SubTotal affix count = 18.

Modified Ting Affixes for लृट् LRing Lakara prefixed इ + स्य → इष्य
Only सेट् Dhatus (1c, 2c, 3c, 4c, 5c, 6c, 7c, 8c, 9c, 10c)
7.2.35 आर्धधातुकस्येड् वलादेः । इट् Augment for सेट् Roots.
8.3.59 आदेशप्रत्यययोः । For affixes स् → ष् when preceded by इण् etc.

Parasmaipada लृट्			Atmanepada लृट्		
इष्यति	इष्यतः	इष्यन्ति	इष्यते	इष्येते	इष्यन्ते
इष्यसि	इष्यथः	इष्यथ	इष्यसे	इष्येथे	इष्यध्वे
इष्यामि	इष्यावः	इष्यामः	इष्ये	इष्यावहे	इष्यामहे

Note – All Affixes are prefixed with इष्य and will cause Guna.
SubTotal affix count = 18.

Derivation procedure is simply

Root + स्य + Affix । ANit Dhatus.

Root + इष्य + Affix । SEt Dhatus.

Sandhi Sutras applicable

6.1.97 अतोगुणे । अपदान्त अ + अ/ए/ओ → both replaced by following guna letter.

6.1.87 आद्गुणः । When अवर्ण is followed by इवर्ण , both are replaced by its ए guna letter. When अवर्ण is followed by उवर्ण , both are replaced by its ओ guna letter.

7.3.101 अतो दीर्घो यञि । आ is substituted for final अ of a stem before a सार्वधातुक affix beginning with a व् or म् (यञ् प्रत्यहार).

Parasmaipada लृट् ANit Roots			Atmanepada लृट् ANit Roots		
स्यति	स्यतः	स्यन्ति	स्यते	स्येते	स्यन्ते
		6.1.97		6.1.87	6.1.97
स्यसि	स्यथः	स्यथ	स्यसे	स्येथे	स्यध्वे
				6.1.87	
स्यामि	स्यावः	स्यामः	स्ये	स्यावहे	स्यामहे
7.3.101	7.3.101	7.3.101	6.1.97	7.3.101	7.3.101

Parasmaipada लृट् SEt Roots			Atmanepada लृट् SEt Roots		
इष्यति	इष्यतः	इष्यन्ति 6.1.97	इष्यते	इष्येते 6.1.87	इष्यन्ते 6.1.97
इष्यसि	इष्यथः	इष्यथ	इष्यसे	इष्येथे 6.1.87	इष्यध्वे
इष्यामि 7.3.101	इष्यावः 7.3.101	इष्यामः 7.3.101	इष्ये 6.1.97	इष्यावहे 7.3.101	इष्यामहे 7.3.101

Count of Parasmaipada लृट् Affixes for अनिट् Roots = 9.

Count of Atmanepada लृट् Affixes for अनिट् Roots = 9.

Count of Parasmaipada लृट् Affixes for सेट् Roots = 9.

Count of Atmanepada लृट् Affixes for सेट् Roots = 9.

We see there are in all 9 + 9 + 9 + 9 = 36 distinct affixes for the Ardhadhatuka लृट् Simple Future Tense.

6. Conditional Mood लृङ् LRing

3.3.139 लिङ्निमित्ते लृङ् क्रियातिपत्तौ । 3.4.78 तिप्तस्झि० । 3.1.33 स्यतासी लृलुटोः । स्य is prefixed to लृट् and लृङ् affixes. तास् is prefixed to लुट् affixes. 3.4.113 तिङ्शित्सार्वधातुकम् । 3.4.114 आर्धधातुकं शेषः । Due to स्य all लृङ् affixes can cause Guna by 7.3.84 सार्वधातुकार्धधातुकयोः । 7.3.86 पुगन्तलघूपधस्य च । Guna happens for appropriate Roots.

Primary Ting Affixes

Parasmaipada			Atmanepada		
तिप्	तस्	झि	त	आताम्	झ
सिप्	थस्	थ	थास्	आथाम्	ध्वम्
मिप्	वस्	मस्	इट्	वहि	महिङ्

3.4.101 तस्थस्थमिपां तान्तंतामः । For ङित् लकारs (लङ् लिङ् लुङ् लृङ्) तस् iii/2 थस् ii/2 थ ii/3 मिप् i/1 are replaced by ताम् तम् त अम् resp.

We begin with affixes for लङ् Past Tense.

Modified तिङ् Affixes for लङ् without Tag

Parasmaipada			Atmanepada		
त्	ताम्	अन्	त	इताम्	अन्त
ः	तम्	त	थाः	इथाम्	ध्वम्
अम्	व	म	इ	वहि	महि

6.4.71 लुङ्लङ्लृङ्क्ष्वडुदात्तः । अट् Augment for Consonant beginning.
6.4.72 आडजादीनाम् । आट् Augment for Vowel beginning Roots.

Modified Ting Affixes for लृङ् LRing Lakara prefixed with स्य

Only अनिट् ANit Dhatus (1c, 2c, 3c, 4c, 5c, 6c, 7c, 8c, 9c, 10c)

Consonant beginning Roots = अ + Root + स्य + Affix

Vowel beginning Roots = आ + Root + स्य + Affix

Parasmaipada लृङ्			Atmanepada लृङ्		
स्यत्	स्यताम्	स्यन्	स्यत	स्येताम्	स्यन्त
स्य:	स्यतम्	स्यत	स्यथा:	स्येथाम्	स्यध्वम्
स्यम्	स्याव	स्याम	स्ये	स्यावहि	स्यामहि

Note – All Affixes are prefixed with स्य and will cause Guna.
SubTotal affix count = 18.

Modified Ting Affixes for लृङ् LRing Lakara prefixed इ + स्य → इष्य

Only सेट् Dhatus (1c, 2c, 3c, 4c, 5c, 6c, 7c, 8c, 9c, 10c)

Consonant beginning Roots = अ + Root + इष्य + Affix

Vowel beginning Roots = आ + Root + इष्य + Affix

7.2.35 आर्धधातुकस्येड् वलादे: । इट् Augment for सेट् Roots.

8.3.59 आदेशप्रत्यययो: । For affixes स् → ष् when preceded by इण् etc.

Parasmaipada लृङ्			Atmanepada लृङ्		
इष्यत्	इष्यताम्	इष्यन्	इष्यत	इष्येताम्	इष्यन्त
इष्य:	इष्यतम्	इष्यत	इष्यथा:	इष्येथाम्	इष्यध्वम्
इष्यम्	इष्याव	इष्याम	इष्ये	इष्यावहि	इष्यामहि

Note – All Affixes are prefixed with इष्य and will cause Guna.
SubTotal affix count = 18.

Derivation procedure is simply

[अ / आ] + Root + स्य + Affix । ANit Dhatus.

[अ / आ] + Root + इष्य + Affix । SEt Dhatus.

Sandhi Sutras applicable

6.1.97 अतोगुणे । अपदान्त अ + अ/ए/ओ → both replaced by following guna letter.

6.1.87 आद्गुणः । When अवर्ण is followed by इवर्ण , both are replaced by its ए guna letter. When अवर्ण is followed by उवर्ण , both are replaced by its ओ guna letter.

7.3.101 अतो दीर्घो यञि । आ is substituted for final अ of a stem before a सार्वधातुक affix beginning with a व् or म् (यञ् प्रत्यहार).

Parasmaipada लृङ् ANit Roots			Atmanepada लृङ् ANit Roots		
स्यत्	स्यताम्	स्यन् 6.1.97	स्यत	स्येताम् 6.1.87	स्यन्त 6.1.97
स्यः	स्यतम्	स्यत	स्यथाः	स्येथाम् 6.1.87	स्यध्वम्
स्यम् 6.1.97	स्याव 7.3.101	स्याम 7.3.101	स्ये 6.1.97	स्यावहि 7.3.101	स्यामहि 7.3.101

Parasmaipada लृङ् SEt Roots			Atmanepada लृङ् SEt Roots		
इष्यत्	इष्यताम्	इष्यन् 6.1.97	इष्यत	इष्येताम् 6.1.87	इष्यन्त 6.1.97
इष्यः	इष्यतम्	इष्यत	इष्यथाः	इष्येथाम् 6.1.87	इष्यध्वम्
इष्यम् 7.3.101	इष्याव 7.3.101	इष्याम 7.3.101	इष्ये 6.1.97	इष्यावहि 7.3.101	इष्यामहि 7.3.101

Count of Parasmaipada लृङ् Affixes for अनिट् Roots = 9.

Count of Atmanepada लृङ् Affixes for अनिट् Roots = 9.

Count of Parasmaipada लृङ् Affixes for सेट् Roots = 9.

Count of Atmanepada लृङ् Affixes for सेट् Roots = 9.

We see there are in all 9 + 9 + 9 + 9 = 36 distinct affixes for the Ardhadhatuka लृङ् Conditional Mood.

7. Periphrastic Future Tense लुट् Lut (1st Future)

3.3.15 अनद्यतने लुट् । The लुट् indicates future events that will happen not today, i.e. from tomorrow onwards. 3.4.78 तिप्तस्झि० । 3.1.33 स्यतासी लृलुटोः । स्य is prefixed to लृट् and लृङ् affixes. तास् is prefixed to लुट् affixes. 3.4.113 तिङ्शित्सार्वधातुकम् । 3.4.114 आर्धधातुकं शेषः । Due to तास् all लुट् affixes can cause Guna by 7.3.84 सार्वधातुकार्धधातुकयोः । 7.3.86 पुगन्तलघूपधस्य च । Guna happens for appropriate Roots.

Primary Ting Affixes

Parasmaipada			Atmanepada		
तिप्	तस्	झि	त	आताम्	झ
सिप्	थस्	थ	थास्	आथाम्	ध्वम्
मिप्	वस्	मस्	इट्	वहि	महिङ्

To begin, we use the लट् Present Tense affixes

Modified तिङ् Affixes for लट् without Tag

Parasmaipada			Atmanepada (irregular gana)		
ति	तः	अन्ति	ते	आते	अते
सि	थः	थ	से	आथे	ध्वे
मि	वः	मः	ए	वहे	महे

2.4.85 लुटः प्रथमस्य डारौरसः । Third person लुट् affixes are replaced with डा रौ रस् resp. Without Tag, we get आ रौ रस् ।

Modified Ting Affixes for लुट् LUt Lakara prefixed with तास्

Only अनिट् ANit Dhatus (1c, 2c, 3c, 4c, 5c, 6c, 7c, 8c, 9c, 10c)

Parasmaipada लुट्			Atmanepada लुट्		
ता	तारौ	तारः	ता	तारौ	तारः
तासि	तास्थः	तास्थ	तासे	तासाथे	ताध्वे
तास्मि	तास्वः	तास्मः	ताहे	तास्वहे	तास्महे

Note – All Affixes are prefixed with तास् and will cause Guna.
SubTotal affix count = 18.

Modified Ting Affixes for लुट् LUt Lakara prefixed इट्+तास् → इतास्
Only सेट् Dhatus (1c, 2c, 3c, 4c, 5c, 6c, 7c, 8c, 9c, 10c)
7.2.35 आर्धधातुकस्येड् वलादेः । इट् Augment for सेट् Roots.

Parasmaipada लुट्			Atmanepada लुट्		
इता	इतारौ	इतारः	इता	इतारौ	इतारः
इतासि	इतास्थः	इतास्थ	इतासे	इतासाथे	इताध्वे
इतास्मि	इतास्वः	इतास्मः	इताहे	इतास्वहे	इतास्महे

Note – All Affixes are prefixed with इतास् and will cause Guna.
SubTotal affix count = 18.

Derivation procedure in general is

Root + तास् + Affix । ANit Dhatus.

Root + इतास् + Affix । SEt Dhatus.

Specific Sutras applicable
3.1.33 स्यतासी लृलुटोः । स्य /तास् prefixed to लृट् लृङ् / लुट् affixes resp.
7.4.50 तासस्त्योर्लोपः । Final स् of affix तास् and of Dhatu अस् 'to be' is elided before an affix beginning with स् ।
7.4.51 रि च । And also elided before an affix beginning with र् ।
7.4.52 ह एति । Final स् of affix तास् and of Dhatu अस् 'to be' is substituted with ह् before the personal-ending ए ।
6.4.143 टेः । The 'टि' component of a भसंज्ञक अङ्ग is elided when followed by a डित् affix.
8.2.25 The स् is elided before an affix beginning with ध ।

Sandhi Sutras applicable
6.1.97 अतोगुणे । अपदान्त अ + अ/ए/ओ → both replaced by following guna letter.
6.1.87 आद्गुणः । When अवर्ण is followed by इवर्ण , both are replaced by its ए guna letter. When अवर्ण is followed by उवर्ण , both are replaced by its ओ guna letter.
7.3.101 अतो दीर्घो यञि । आ is substituted for final अ of a stem before a सार्वधातुक affix beginning with a व् or म् (यञ् प्रत्यहार).

8.2.66 ससजुषोः रुँ । Appearance of रुँ from सकार ।

8.3.15 खर् अवसानयोः विसर्जनीयः । Appearance of Visarga from रुँ ।

Derivation procedure लुट् Parasmaipada

To begin we use the लट् Present Tense affixes.

Parasmaipada			Atmanepada (irregular gana)		
ति	तः	अन्ति	ते	आते	अते
सि	थः	थ	से	आथे	ध्वे
मि	वः	मः	ए	वहे	महे

2.4.85 Parasmaipada			3.1.33 Parasmaipada		
डा	रौ	रस्	तास् डा	तास् रौ	तास् रस्
सि	थः	थ	तास् सि	तास् थः	तास् थ
मि	वः	मः	तास् मि	तास् वः	तास् मः

7.4.50 Parasmaipada			7.4.51 Parasmaipada		
तास् डा	तास् रौ	तास् रस्	तास् डा	तारौ	तारस्
तासि	तास्थः	तास्थ	तासि	तास्थः	तास्थ
तास्मि	तास्वः	तास्मः	तास्मि	तास्वः	तास्मः

8.2.66, 8.3.15			6.4.143, 1.3.7		
तास् डा	तारौ	तारः	ता	तारौ	तारः
तासि	तास्थः	तास्थ	तासि	तास्थः	तास्थ
तास्मि	तास्वः	तास्मः	तास्मि	तास्वः	तास्मः

1.3.7 चुटू । Initial चवर्ग / टवर्ग letter of an affix is Tag and elided.

Derivation procedure लुट् Atmanepada

To begin we use the लट् Present Tense affixes.

Parasmaipada

ति	तः	अन्ति
सि	थः	थ
मि	वः	मः

Atmanepada (irregular gana)

ते	आते	अते
से	आथे	ध्वे
ए	वहे	महे

2.4.85 Atmanepada

डा	रौ	रस्
से	आथे	ध्वे
ए	वहे	महे

3.1.33 Atmanepada

तास् डा	तास् रौ	तास् रस्
तास् से	तास् आथे	तास् ध्वे
तास् ए	तास् वहे	तास् महे

7.4.50 Atmanepada

तास् डा	तास् रौ	तास् रस्
ता से	तासाथे	तास् ध्वे
तास् ए	तास्वहे	तास्महे

7.4.51 Atmanepada

तास् डा	ता रौ	ता रस्
तासे	तासाथे	तास् ध्वे
तास् ए	तास्वहे	तास्महे

7.4.52 Atmanepada

तास् डा	तारौ	तारस्
तासे	तासाथे	तास् ध्वे
ताह् ए	तास्वहे	तास्महे

8.2.25 Atmanepada

तास् डा	तारौ	तारस्
तासे	तासाथे	ता ध्वे
ताहे	तास्वहे	तास्महे

6.4.143, 1.3.7

ता	तारौ	तारः
तासे	तासाथे	ताध्वे
ताहे	तास्वहे	तास्महे

8.2.66, 8.3.15

ता	तारौ	तारः
तासे	तासाथे	ताध्वे
ताहे	तास्वहे	तास्महे

Count of Parasmaipada लुट् Affixes for अनिट् Roots = 9.

Count of Atmanepada लुट् Affixes for अनिट् Roots = 9.

Count of Parasmaipada लुट् Affixes for सेट् Roots = 9.

Count of Atmanepada लुट् Affixes for सेट् Roots = 9.

We see there are in all 9 + 9 + 9 + 9 = 36 distinct affixes for the Ardhadhatuka लुट् Periphrastic Future Tense.

8. Benedictive Mood आशीर्लिङ् AashirLing

3.3.173 आशिषि लिङ्लोटौ । 3.4.78 तिप्तस्झि० । 3.4.102 लिङस्सीयुट् ।
आशीर्लिङ् Affixes get prefixed with सीयुट् Augment. 3.4.103 यासुट्
परस्मैपदेषूदात्तो ङिच्च । 3.4.104 किदाशिषि । Parasmaipada आशीर्लिङ्
Affixes get prefixed with यासुट् Augment that behaves as कित् , hence
no guna by Parasmaipada आशीर्लिङ् Affixes. 3.4.107 सुट् तिथोः ।
3.4.113 तिङ्शित्सार्वधातुकम् । 3.4.114 आर्धधातुकं शेषः । Due to सीयुट् all
Atmanepada आशीर्लिङ् affixes can cause Guna by 7.3.84
सार्वधातुकार्धधातुकयोः । 7.3.86 पुगन्तलघूपधस्य च । Guna happens for
appropriate Roots. 7.2.35 आर्धधातुकस्येड् वलादेः । An Ardhadhatuka
affix that begins with a वल् letter gets an इट् augment.
Note: वल् pratyahara includes all consonants except य् ।
इट् here discard the Tag letter by 1.3.3 हलन्त्यम् we get इ ।

Primary Ting Affixes

Parasmaipada			Atmanepada		
तिप्	तस्	झि	त	आताम्	झ
सिप्	थस्	थ	थास्	आथाम्	ध्वम्
मिप्	वस्	मस्	इट्	वहि	महिङ्

We begin with affixes for विधिलिङ् Potential Mood.

Parasmaipada विधिलिङ्			Atmanepada विधिलिङ्		
यात्	याताम्	युः	ईत	ईयाताम्	ईरन्
याः	यातम्	यात	ईथास्	ईयाथाम्	ईध्वम्
याम्	याव	याम	ईय	ईवहि	ईमहि

Modified Ting Affixes for आशीर्लिङ् AashirLing Lakara with यास्
All Dhatus (1c, 2c, 3c, 4c, 5c, 6c, 7c, 8c, 9c, 10c)
Parasmaipada आशीर्लिङ् prefixed with यासुट् → यास् not cause Guna

यात्	यास्ताम्	यासुः
याः	यास्तम्	यास्त
यासम्	यास्व	यास्म

Note – No Guna affixes here. SubTotal affix count = 9.
Parasmaipada Affixes are prefixed with यासुट् → यास् । Hence there is no सेट् classification by 7.2.35, i.e. all Parasmaipada आशीर्लिङ् Affixes are अनिट् । And by 3.4.104 they shall not cause Guna.

Modified Ting Affixes for आशीर्लिङ् AashirLing Lakara
Only अनिट् ANit Dhatus (1c, 2c, 3c, 4c, 5c, 6c, 7c, 8c, 9c, 10c)
Atmanepada आशीर्लिङ् prefixed with सीयुट् → सीय् cause Guna

सीष्ट	सीयास्ताम्	सीरन्
सीष्ठाः	सीयास्थाम्	सीध्वम्
सीय	सीवहि	सीमहि

Note – All affixes cause Guna. SubTotal affix count = 9.

Modified Ting Affixes for आशीर्लिङ् AashirLing Lakara
Only सेट् Dhatus (1c, 2c, 3c, 4c, 5c, 6c, 7c, 8c, 9c, 10c)
7.2.35 आर्धधातुकस्येड् वलादेः । इट् Augment for सेट् Roots.
8.3.59 आदेशप्रत्यययोः । For affixes स् → ष् when preceded by इण् etc.
Atmanepada आशीर्लिङ् prefixed with इसीयुट् → इषीय् cause Guna

इषीष्ट	इषीयास्ताम्	इषीरन्
इषीष्ठाः	इषीयास्थाम्	इषीध्वम्
इषीय	इषीवहि	इषीमहि

Note – No पित् affixes here. SubTotal affix count = 9.
Atmanepada Affixes are prefixed with इ+सीयुँट् → इषीय् ।

Derivation procedure in general is

Root + यास् + Affix । Parasmaipada Dhatus.

Root + सीय् + Affix । ANit Atmanepada Dhatus.

Root + इषीय् + Affix । SEt Atmanepada Dhatus.

Parasmaipada Primary affixes			3.4.99		
ति	तस्	झि	ति	तस्	झि
सि	थस्	थ	सि	थस्	थ
मि	वस्	मस्	मि	व	म

3.4.100			3.4.101		
त्	तस्	झि	त्	ताम्	झि
स्	थस्	थ	स्	तम्	त
मि	व	म	अम्	व	म

3.4.103 , 3.4.104			3.4.107		
यास् त्	यास् ताम्	यास् झि	यास् स् त्	यास् स् ताम्	यास् झि
यास् स्	यास् तम्	यास् त	यास् स्	यास् स् तम्	यास् स् त
यास् अम्	यास् व	यास् म	यास् अम्	यास् व	यास् म

6.1.68			8.2.29 स् elided when facing स् (झल्)		
यास् स् त्	यास् स् ताम्	यास् झि	या स् त्	या स् ताम्	यास् झि
यास्	यास् स् तम्	यास् स् त	या स्	या स् तम्	या स् त
यास् अम्	यास् व	यास् म	यास् अम्	यास् व	यास् म

3.4.108			1.3.7		
या स् त्	यास्ताम्	यास् जुस्	या स् त्	यास्ताम्	यास् उस्
यास्	यास्तम्	यास्त	यास्	यास्तम्	यास्त
यासम्	यास्व	यास्म	यासम्	यास्व	यास्म

8.2.66 , 8.3.15			8.2.29 initial स् of final conjunct elided		
या स् त्	यास्ताम्	यास् उः	या त्	यास्ताम्	यासुः
याः	यास्तम्	यास्त	याः	यास्तम्	यास्त
यासम्	यास्व	यास्म	यासम्	यास्व	यास्म

Final Parasmaipada आशीर्लिङ् Affixes.

Atmanepada Primary Ting affixes

त	आताम्	झ
थास्	आथाम्	ध्वम्
इट्	वहि	महिङ्

3.4.102

सीय् त	सीय् आताम्	सीय् झ
सीय् थास्	सीय् आथाम्	सीय् ध्वम्
सीय् इ	सीय् वहि	सीय् महि

3.4.105

सीय् त	सीय् आताम्	सीय् **रन्**
सीय् थास्	सीय् आथाम्	सीय् ध्वम्
सीय् इ	सीय् वहि	सीय् महि

3.4.106

सीय् त	सीय् आताम्	सीय् रन्
सीय् थास्	सीय् आथाम्	सीय् ध्वम्
सीय् अ	सीय् वहि	सीय् महि

3.4.107

सीय् स् त	सीय् आस् ताम्	सीय् रन्
सीय् स् थास्	सीय् आस् थाम्	सीय् ध्वम्
सीय् अ	सीय् वहि	सीय् महि

7.2.35 (SEt Roots)

इसीय् स्त	इसीय् आस्ताम्	इसीय् रन्
इसीय् स्थास्	इसीय् आस्थाम्	इसीय् ध्वम्
इसीय् अ	इसीय् वहि	इसीय् महि

6.1.66

इसी स्त	इसीय् आस्ताम्	इसी रन्
इसी स्थास्	इसीय् आस्थाम्	इसी ध्वम्
इसीय् अ	इसी वहि	इसी महि

(7.3.86 if appropriate) 8.3.59

इषी ष्त	इषीय् आस्ताम्	इषी रन्
इषी ष्थास्	इषीय् आस्थाम्	इषी ध्वम्
इषीय् अ	इषी वहि	इषी महि

8.4.41

इषी ष्ट	इषीयास्ताम्	इषीरन्
इषी ष्ठास्	इषीयास्थाम्	इषीध्वम्
इषीय	इषीवहि	इषीमहि

8.2.66 8.3.15 आशीर्लिङ् Atmanepada

इषीष्ट	इषीयास्ताम्	इषीरन्
इषीष्ठाः	इषीयास्थाम्	इषीध्वम्
इषीय	इषीवहि	इषीमहि

Count of Parasmaipada आशीर्लिङ् Affixes for all Roots = 9.
Count of Atmanepada आशीर्लिङ् Affixes for अनिट् Roots = 9.
Count of Atmanepada आशीर्लिङ् Affixes for सेट् Roots = 9.

We see there are in all 9 + 9 + 9 = 27 distinct affixes for the Ardhadhatuka आशीर्लिङ् Benedictive Mood.

9. Perfect Past Tense लिट् LIt

3.4.114 लिट् च । 3.4.78 तिप्तस्झि॰ । 3.4.113 तिङ्शित्सार्वधातुकम् । 3.4.114 आर्धधातुकं शेषः । 7.3.84 सार्वधातुकार्धधातुकयोः । 7.3.86 पुगन्तलघूपधस्य च ।
Guna happens for appropriate Roots.
7.2.35 आर्धधातुकस्येड् वलादेः । Ardhadhatuka affixes with initial वल् letter get इट् I Note: वल् pratyahara is all consonants except य् and no Vowel. Hence affixes with initial vowel do NOT get इट् I

Primary Ting Affixes

Parasmaipada			Atmanepada		
तिप्	तस्	झि	त	आताम्	झ
सिप्	थस्	थ	थास्	आथाम्	ध्वम्
मिप्	वस्	मस्	इट्	वहि	महिङ्

Modified Ting Affixes for लिट् LIt Lakara
Only अनिट् ANit Dhatus (1c, 2c, 3c, 4c, 5c, 6c, 7c, 8c, 9c, 10c)

Parasmaipada लिट्			Atmanepada लिट्		
णल् = अ	अतुः	उः	ए	आते	इरे
थल् = थ	अथुः	अ	से	आथे	ध्वे
णल् = अ	व	म	ए	वहे	महे

Note – **Parasmaipada iii/1, ii/1, i/1** inherit पित् and cause Guna.
SubTotal affix count = 18.

Modified Ting Affixes for लिट् LIt Lakara with इट् augment
Only सेट् Dhatus (1c, 2c, 3c, 4c, 5c, 6c, 7c, 8c, 9c, 10c)

Parasmaipada लिट्			Atmanepada लिट्		
अ	अतुः	उः	ए	आते	इरे
इथ	अथुः	अ	इषे	आथे	इध्वे
अ	इव	इम	ए	इवहे	इमहे
Only Affixes ii/1, i/2, i/3 can Take इट् augment.			Only Affixes ii/1, ii/3, i/2, i/3 can take इट् augment.		

Note – iii/1, ii/1, i/1 are पित् and do Guna. SubTotal affix count = 7.

6.1.8 लिटि धातोरनभ्यासस्य । Reduplication of an unreduplicated Root happens. Reduplication of first syllable for Consonant beginnning Root. And of the second syllable for Vowel beginnning Root.

7.2.13 कृसृभृवृस्तुद्रुस्रुश्रुवो लिटि । For लिट् affixes, these specific roots do not get इट् । **By extrapolation** of this Sutra, for लिट् , all other Roots of Dhatupatha shall get इट् irrespective of whether they are सेट् or अनिट् ।

3.1.35 कास्प्रत्ययादाममन्त्रे लिटि । For Root कास् and all secondary derived Roots, आम् affix replaces लिट् affixes. Thus reduplication does not happen for such Roots. वा॰ कास्यनेकाच इति वक्तव्यं । Vartika says that also for polysyllabic Roots, आम् affix replaces लिट् affixes. There are only 6 polysyllabic Roots in entire Dhatupatha, viz. 1039 ऊर्णुञ् , 1072 जागृ , 1073 दरिद्रा , 1074 चकासृ, 1076 दीधीङ् , 1077 वेवीङ् ।

3.1.36 इजादेश्च गुरुमतोऽनृच्छः । Affix आम् replaces लिट् after a Root with initial इच् letter and having a heavy vowel (37 Roots in Dhatupatha), except root 1296 ऋच्छ । वा॰ ऊर्णोतेश्च प्रतिषेधो वक्तव्यः । Vartika says polysyllabic Root 1039 ऊर्णुञ् gets लिट् reduplication (and not आम्).
3.1.37 दयायासश्च । Roots दय, अय, आस also get आम् ।
3.1.38 उषविदजागृभ्योऽन्यतरस्याम् । Roots उष, 1064 विद ज्ञाने, जागृ get आम् Optionally.
3.1.39 भीह्रीभृहुवां श्लुवच्च । Roots ञिभी भये, ह्री लज्जायाम् , डुभृञ् धारणपोषणयोः , हु दानादनयोः get आम् Optionally, and also behave as श्लु elided Roots.
2.4.81 आमः । Individual लिट् Affixes get elided after आम् ।
3.1.40 कृञ् चानुप्रयुज्यते लिटि । For Roots that get आम् , लिट् verb forms of Root कृ are added to make their Perfect Past Tense. Alternate forms by भू and अस् are also there.
7.1.91 णलुत्तमो वा । Alternate forms for i/1 for Roots with short penultimate vowel.
7.3.86 पुगन्तलघूपधस्य च । Guna takes place for appropriate Roots.

<u>Sutras for Specific Roots</u>
2.4.52 अस्तेर्भूः । 2.4.53 ब्रुवो वचिः । 6.1.45 आदेच उपदेशेऽशिति । etc.

Modified Ting Affixes for लिट् LIt Lakara with आम्
51 Specific Roots only (1c, 2c, 3c, 4c, 5c, 6c, 7c, 8c, 9c, 10c)
5 अनेकाच् + 36 इजादि गुरुमान् + 3 Roots, 3+4 Roots Optionally
आम् + कृ / आम् + भू / आम् + अस् Alternate लिट् Verb forms

आम् + चकार /	आम् + चक्रतुः /	आम् + चक्रुः /
आम् + बभूव /	आम् + बभूवतुः /	आम् + बभूवुः /
आम् + आस	आम् + आसतुः	आम् + आसुः
आम् + चकर्थ /	आम् + चक्रथुः /	आम् + चक्र /
आम् + बभूविथ /	आम् + बभूवथुः /	आम् + बभूव /
आम् + आसिथ	आम् + आसथुः	आम् + आस
आम् + चकार /	आम् + चकृव /	आम् + चकृम /
आम् + बभूव /	आम् + बभूविव /	आम् + बभूविम /
आम् + आस	आम् + आसिव	आम् + आसिम

8.3.59 आदेशप्रत्यययोः । For लिट् Atmanepada ii/1 affix स् → ष् ।

<u>Derivation procedure in general is</u>

Reduplication + Root + vowel beginning Affix. **All** Roots.
Reduplication+Root+इ+consonant beginning Affix. **SEt** Roots.
आम् + कृ / आम् + भू / आम् + अस् Alternate forms for 51 Roots.

10. Aorist Past Tense लुङ् LUng

3.2.110 लुङ् । 6.4.71 / 6.4.72 अट् / आट् Augment for initial Consonant / Vowel Roots. 7.3.84 सार्वधातुकार्धधातुकयोः । 7.3.86 पुगन्तलघूपधस्य च । Guna happens for appropriate Roots. 3.1.57 इरितो वा । Roots with इर् Tag have सिँच् / अङ् optional forms for all 9 affixes.

Primary Ting Affixes

Parasmaipada			Atmanepada		
तिप्	तस्	झि	त	आताम्	झ
सिप्	थस्	थ	थास्	आथाम्	ध्वम्
मिप्	वस्	मस्	इट्	वहि	महिङ्

लुङ् LUng Lakara has 12 types of Modified Affixes:
1) सिच लुक् = only Parasmaipada Affixes 9 total.
2) सक् + इट् + सिच् = only Parasmaipada Affixes 9 total.
3) अङ् for some Roots.
4) अङ् for few other Roots = 9 Parasmaipada + 9 Atmanepada.
5) चङ् for some Roots.
6) चङ् for few other Roots = 9 Parasmaipada + 9 Atmanepada.
7) क्स for some Roots.
8) क्स for few other Roots = 9 Parasmaipada + 9 Atmanepada.
9) सिच् for some Roots.
10) सिच् for few other Roots = 9 Parasmaipada + 9 Atmanepada.
11) इट् + सिच् for some Roots.
12) इट् + सिच् for few others = 9 Parasmaipada + 9 Atmanepada.

We see there are in all 9 + 9 + (18 x 5) = 108 distinct affixes for the Ardhadhatuka लुङ् Aorist Past Tense.

Derivation procedure in general is

[अ / आ] + Root + सिँच् + Affix । ANit Dhatus.

[अ / आ] + Root + इ सिँच् + Affix । SEt Dhatus.

[अ / आ] + Root + सिँच् / अङ् + Affix । इरित् Dhatus.

Modified Ting Affixes लुङ् LUng 2.4.77 गातिस्थाघुपाभूभ्यः सिचः परस्मैपदेषु ।
1. Specific Dhatus only, by सिच् लुक् Roots गा स्था घू पा भू

Parasmaipada लुङ्			Atmanepada NONE
त्	ताम्	अन् = उः	
स् = ◌ः	तम्	त	
अम्	व	म	

Note – Guna happens for appropriate Roots by 7.3.84, 7.3.86.

Modified Ting Affixes for लुङ् LUng Lakara 7.2.73 यमरमनमातां सक् च
2. Specific Dhatus only, by सक् + इट् + सिच् 2.4.78 विभाषा घ्राधेट्शाच्छासः । Roots घ्रा धेट् शा छा सा

Parasmaipada लुङ्			Atmanepada NONE
सीत्	सिष्टाम्	सिषुः	
सीः	सिष्टम्	सिष्ट	
सिषम्	सिष्व	सिष्म	

Modified Ting Affixes for लुङ् LUng Lakara 3.1.52 अस्यतिवक्तिख्यातिभ्योऽङ् ।
3.1.53 3.1.55 पुषादिद्युताद्ऌदितः परस्मैपदेषु । 3.1.56 3.1.58
3. and 4. Specific Dhatus only, by अङ् Roots असु वच् ख्या लिप षिच etc

Parasmaipada लुङ्			Atmanepada लुङ्		
अत्	अताम्	अन्	अत	एताम्	अन्त
अः	अतम्	अत	अथाः	एथाम्	आध्वम्
अम्	आव	आम	ए	आवहि	आमहि

Modified Ting Affixes for लुङ् LUng Lakara 3.1.48 णिश्रिद्रुस्रुभ्यः कर्तरि चङ्

5. and 6. Specific Dhatus only, by चङ् । 6.1.11 चङि ।

Parasmaipada लुङ्			Atmanepada लुङ्		
अत्	अताम्	अन्	अत	एताम्	अन्त
अः	अतम्	अत	अथाः	एथाम्	अध्वम्
अम्	आव	आम	ए	आवहि	आमहि

Modified Ting Affixes for लुङ् LUng Lakara 3.1.45 शल इगुपधादनिटः क्सः

7. and 8. Specific Dhatus only, by क्स । 3.1.46 श्लिष आलिङ्गने ।

Parasmaipada लुङ्			Atmanepada लुङ्		
सत्	सताम्	सन्	सत	साताम्	सन्त
सः	सतम्	सत	सथाः	साथाम्	सध्वम्
सम्	साव	साम	सि	सावहि	सामहि

Modified Ting Affixes for लुङ् 3.1.44 च्लेः सिच् । वा॰ स्पृशमृशकृषतृपदृपां

9. and 10. Specific Dhatus only, by सिच्

Parasmaipada लुङ्			Atmanepada लुङ्		
सीत्	स्ताम्	सुः	स्त	साताम्	सत
सीः	स्तम्	स्त	स्थाः	साथाम्	ध्वम्
सम्	स्व	स्म	सि	स्वहि	स्महि

Modified Ting Affixes for लुङ् LUng Lakara

11. and 12. Specific Dhatus only, by इट् + सिच्

Parasmaipada लुङ्			Atmanepada लुङ्		
ईत्	इष्टाम्	इषुः	इष्ट	इषाताम्	इषत
ईः	इष्टम्	इष्ट	इष्ठाः	इषाथाम्	इढ्वम्
इषम्	इष्व	इष्म	इषि	इष्वहि	इष्महि

11a. Direct Order लेट् LEt, Vedic (Sarvadhatuka)

3.4.7 लिङर्थे लेट् । This Lakara is optionally used in place of आशीर्लिङ् Benedictive Mood, for the Lord in Vedas. It is seldom encountered in Literature. There are very few verbs found in actual usage.

3.4.8 उपसंवादाशङ्कयोश्च । Also used in sense of reciprocity or apprehension.

Primary तिङ् Affixes

Parasmaipada			Atmanepada		
तिप्	तस्	झि	त	आताम्	झ
सिप्	थस्	थ	थास्	आथाम्	ध्वम्
मिप्	वस्	मस्	इट्	वहि	महिङ्

For making the affixes for लेट् we use the लट् affixes.

Modified तिङ् Affixes for लट् without Tag

Parasmaipada			Atmanepada		
ति	तः	अन्ति	ते	इते	अन्ते
सि	थः	थ	से	इथे	ध्वे
मि	वः	मः	ए	वहे	महे

Modified तिङ् Affixes for अट् + लेट् without Tag

e.g. iii/1 affix अ + ति → अति | e.g. iii/1 affix अ + ते → अते

Parasmaipada			Atmanepada		
अति	अतः	अन्ति	अते	ऐते	अन्ते
अत् / द्	-	अन्	अतै	-	अन्तै
असि	अथः	अथ	असे	ऐथे	अध्वे
अः	-	-	असै	-	अध्वै
अमि	अवः	अमः	ए	अवहे	अमहे
अम्	अव	अम	ऐ	अवहै	अमहै

Note – All affixes can cause Guna 7.3.84 सार्वधातुकार्धधातुकयोः ।

SubTotal affix count in this table = 31.

LEt specific Sutras applicable

3.4.94 लेटोऽडाटौ । The augments अट् and आट् are added in turns to लेट् affixes. By this sutra, the Sarvadhatuka लेट् is understood.

3.4.95 आत ऐ । ऐ is the substitute of आ in the first and second person dual of Atmanepada affixes.

3.4.96 वैतोऽन्यत्र । ऐ is optionally the substitute of ए in others.

3.4.97 इतश्च लोपः परस्मैपदेशु । In the Parasmaipada affixes इ is optionally elided.

3.4.98 स उत्तमस्य । The स् of first person is optionally elided.

3.4.92 आडुत्तमस्य पिच्च । **By extrapolation**, this Sutra makes all लेट् affixes पित् , thereby all can cause Guna.

Sandhi Sutras applicable

6.1.101 अकः सवर्णे दीर्घः । Simple vowel + similar simple vowel.

6.1.87 आद्गुणः। When अवर्ण is followed by इवर्ण , both are replaced by its ए guna letter. When अवर्ण is followed by उवर्ण , both are replaced by its ओ guna letter.

6.1.97 अतोगुणे । अपदान्त अ + अ/ए/ओ → both replaced by following guna letter.

7.2.81 आतो ङितः । For the आ portion of a ङित् Affix, following a verbal stem ending in a short अ , there is substituted इय् । **This Sutra does not apply to लेट् as its affixes are all पित् ।**

7.3.84 सार्वधातुकार्धधातुकयोः । Guna of Final इक् vowel happens.

8.2.39 झलांजशोऽन्ते । The झल् letter at end of padam is replaced by a corresponding जश् letter.

8.2.66 ससजुषोः रुँ । Appearance of रुँ from सकार ।

8.3.15 खर् अवसानयोः विसर्जनीयः । Appearance of Visarga from रुँ ।

8.4.56 वाऽवसाने । The चर् is Optionally the substitute of a झल् that occurs in a fullstop. Thus final द् → त् ।

Example Derivation for अट् augment added to लेट् iii/1 affix

भू + अट् + तिप् → भू + शप् + अट् + तिप् → dropping tag letters → भू + अ + अ + ति → 3.4.97 optional forms → भू + अ + अ + ति / त् → 7.3.84 guna of Root happens by पित् affix → भो + अ + अ + ति / त् → 6.1.97 sandhi → भव् + अ + ति / त् → भवति / भवत् ।

Example Derivation for आट् augment added to लेट् iii/1 affix

भू + आट् + तिप् → भू + शप् + आट् + तिप् → dropping tag letters → भू + अ + आ + ति → 3.4.97 optional forms → भू + अ + आ + ति / त् → 7.3.84 guna of Root happens by पित् affix → भो + अ + आ + ति / त् → 6.1.101 sandhi → भव् + आ + ति / त् → भवाति / भवात् ।

लेट् Verb forms are rare and only present in Vedic Literature. It may be improper/invalid to construct verbs that are not actually present in Vedic literature. However there is a construction procedure specified in the Ashtadhyayi and that is given here.

Some few लेट् verbs are given in the Kashika/Mahabhashya. Of such verbs, we can say the spelling is accurate, and the Ashtadhyayi just aims to see how these are constructed (and not go on to construct new verb forms). E.g. जोषिषत् । तारिषत् । मन्दिषत् । पताति । पाताति । च्यावयाति । भवाति । मन्त्रयैते । मन्त्रयैथे । करवैते । करवैथे ।
जुष् + सिप् + अट् + त् → जोषिषत् । पत् + आट् + ति → पताति ।

3.4.94 लेटोऽडाटौ । Augments अट् and आट् are added to the लेट् Vedic Subjunctive Mood, in turns.

To begin we use the लट् affixes Present Tense

Parasmaipada			Atmanepada		
ति	तः	अन्ति	ते	इते	अन्ते
सि	थः	थ	से	इथे	ध्वे
मि	वः	मः	ए	वहे	महे

Derivation procedure Parasmaipada अट् + Affix

3.4.94			3.4.97		
अति	अतः	अन्ति 6.1.97	अति / **अत्**	अतः	अन्ति / **अन्**
असि	अथः	अथ	असि / **अस्**	अथः	अथ
अमि	अवः	अमः	अमि / **अम्**	अवः	अमः

3.4.98			8.2.39		
अति अत्	अतः	अन्ति अन्	अति **अद्**	अतः	अन्ति अन्
असि अस्	अथः	अथ	असि अस्	अथः	अथ
अमि अम्	अवः **अव**	अमः **अम**	अमि अम्	अवः अव	अमः अम

8.4.56			8.2.66 8.3.15		
अति **अत्** / अद्	अतः	अन्ति अन्	अति अत् / अद्	अतः	अन्ति अन्
असि अस्	अथः	अथ	असि **अः**	अथः	अथ
अमि अम्	अवः अव	अमः अम	अमि अम्	अवः अव	अमः अम

Derivation procedure Atmanepada अट् + Affix

3.4.94 Atmanepada

अते	एते 6.1.87	अन्ते 6.1.97
असे	एथे 6.1.87	अध्वे
ए 6.1.97	अवहे	अमहे

3.4.95 Atmanepada

अते	ऐते	अन्ते
असे	ऐथे	अध्वे
ए	अवहे	अमहे

3.4.96 Atmanepada

अते	ऐते	अन्ते
अतै	-	**अन्तै**
असे	ऐथे	अध्वे
असै	-	**अध्वै**
ए	अवहे	अमहे
ऐ	**अवहै**	**अमहै**

Modified तिङ् Affixes for आट् + लेट् without Tag

Parasmaipada			Atmanepada		
आति	आतः	आन्ति	आते	ऐते	आन्ते
आत् / द्	-	आन्	आतै	-	आन्तै
आसि	आथः	आथ	आसे	ऐथे	आध्वे
आः	-	-	आसै	-	आध्वै
आमि	आवः	आमः	-	आवहे	आमहे
आम्	आव	आम	ऐ	आवहै	आमहै

Note – All affixes can cause Guna by 7.3.84 सार्वधातुकार्धधातुकयोः ।
SubTotal affix count in this table = 30.

Count of Parasmaipada लेट् Affixes with अट् augment = 15.

Count of Atmanepada लेट् Affixes with अट् augment = 16.

Count of Parasmaipada लेट् Affixes with आट् augment = 15.

Count of Atmanepada लेट् Affixes with आट् augment = 15.

We see there are in all 15 + 16 + 15 + 15 = 61

distinct affixes for the Sarvadhatuka Vedic लेट् ।

11b. Direct Order लेट् LEt, Vedic (Ardhadhatuka)

3.4.7 लिङर्थे लेट् । This Lakara is seldom encountered in Literature. There are very few verbs found in actual usage.

Primary Ting Affixes

Parasmaipada			Atmanepada		
तिप्	तस्	झि	त	आताम्	झ
सिप्	थस्	थ	थास्	आथाम्	ध्वम्
मिप्	वस्	मस्	इट्	वहि	महिङ्

3.4.94 लेटोऽडाटौ । Augments अट् and आट् are added to the लेट् Vedic Subjunctive Mood, in turns.

3.1.34 सिब्बहुलं लेटि । सिप् = स् is added to get Ardhadhatuka लेट्
सिब्बहुलं छन्दसि णिद्वक्तव्यः । A vartika to this sutra, gives additional verb forms by 7.2.115 अचो ञ्णिति ।

Modified तिङ् Affixes for सिप् + अट् + लेट् (prefix स्+अ → स)

Only अनिट् ANit Dhatus (1c, 2c, 3c, 4c, 5c, 6c, 7c, 8c, 9c, 10c)

Parasmaipada			Atmanepada		
सति	सतः	सन्ति	सते	सैते	सन्ते
सत् /सद्		सन्	सतै		सन्तै
ससि	सथः	सथ	ससे	सैथे	सध्वे
सः			ससै		सध्वै
समि	सवः	समः	से	सवहे	समहे
सम्	सव	सम	सै	सवहै	समहै

Note – All affixes can cause guna. SubTotal affix count = 31.

Modified तिङ् Affixes इट् + सिप् + अट् + लेट् (prefix इ+स्+अ → इष)

Only सेट् Dhatus (1c, 2c, 3c, 4c, 5c, 6c, 7c, 8c, 9c, 10c)

8.3.58 नुम्विसर्जनीयशर्व्यवायेऽपि । अपदान्तस्य मूर्द्धन्यः, सः, इण्कोः ।

8.3.59 आदेशप्रत्यययोः । स् → ष्

Parasmaipada			Atmanepada		
इषति	इषतः	इषन्ति	इषते	इषैते	इषन्ते
इषत् / द्		इषन्	इषतै		इषन्तै
इषसि	इषथः	इषथ	इषसे	इषैथे	इषध्वे
इषः			इषसै		इषध्वै
इषमि	इषवः	इषमः	इषे	इषवहे	इषमहे
इषम्	इषव	इषम	इषै	इषवहै	इषमहै

Note – All affixes can cause guna. SubTotal affix count = 31.

Modified तिङ् Affixes for इट् + सिप् + आट् + लेट् (prefix स्+आ → सा)

Only अनिट् ANit Dhatus (1c, 2c, 3c, 4c, 5c, 6c, 7c, 8c, 9c, 10c)

Parasmaipada			Atmanepada		
साति	सातः	सान्ति	साते	सैते	सान्ते
सात् / द्		सान्	सातै		सान्तै
सासि	साथः	साथ	सासे	सैथे	साध्वे
साः			सासै		साध्वै
सामि	सावः	सामः	-	सावहे	सामहे
साम्	साव	साम	सै	सावहै	सामहै

Note – All affixes can cause guna. SubTotal affix count = 30.

Modified तिङ् Affixes इट् + सिप् + आट् + लेट् (prefix इ+स्+आ → इषा)

Only सेट् Dhatus (1c, 2c, 3c, 4c, 5c, 6c, 7c, 8c, 9c, 10c)

8.3.59 आदेशप्रत्यययोः । स् → ष्

Parasmaipada			Atmanepada		
इषाति	इषातः	इषान्ति	इषाते	इषैते	इषान्ते
इषात् /द्		इषान्	इषातै		इषान्तै
इषासि	इषाथः	इषाथ	इषासे	इषैथे	इषाध्वे
इषाः			इषासै		इषाध्वै
इषामि	इषावः	इषामः	-	इषावहे	इषामहे
इषाम्	इषाव	इषाम	इषै	इषावहै	इषामहै

Note – No पित् affixes here. SubTotal affix count = 30.

Derivation procedure Parasmaipada सिप् + अट् + लेट्

To begin we use the लट् affixes Present Tense.

Parasmaipada			Atmanepada		
ति	तः	अन्ति	ते	इते	अन्ते
सि	थः	थ	से	इथे	ध्वे
मि	वः	मः	ए	वहे	महे

3.4.94 Parasmaipada			3.4.97 Parasmaipada		
अति	अतः	अन्ति	अति	अतः	अन्ति
		6.1.97	अत्		अन्
असि	अथः	अथ	असि	अथः	अथ
			अस्		
अमि	अवः	अमः	अमि	अवः	अमः
			अम्		

3.4.98 Parasmaipada			8.2.39 Parasmaipada		
अति	अतः	अन्ति	अति	अतः	अन्ति
अत्		अन्	अत् / अद्		अन्
असि	अथः	अथ	असि	अथः	अथ
अस्			अस्		
अमि	अवः	अमः	अमि	अवः	अमः
अम्	अव	अम	अम्	अव	अम

8.2.66, 8.3.15			3.1.34 स् Prefixed		
अति	अतः	अन्ति	सति	सतः	सन्ति
अत् / अद्		अन्	सत् / सद्		सन्
असि	अथः	अथ	ससि	सथः	सथ
अः			सः		
अमि	अवः	अमः	समि	सवः	समः
अम्	अव	अम	सम्	सव	सम

Derivation procedure Atmanepada सिप् + अट् + लेट्

3.4.94 Atmanepada			3.4.95 Atmanepada		
अते	एते 6.1.87	अन्ते 6.1.97	अते	ऐते	अन्ते
असे	एथे 6.1.87	अध्वे	असे	ऐथे	अध्वे
ए 6.1.97	अवहे	अमहे	ए	अवहे	अमहे

3.4.96 Atmanepada			3.1.34 स् Prefixed		
अते अतै	ऐते	अन्ते अन्तै	सते सतै	सैते	सन्ते सन्तै
असे असै	ऐथे	अध्वे अध्वै	ससे ससै	सैथे	सध्वे सध्वै
ए ऐ	अवहे अवहै	अमहे अमहै	से सै	सवहे सवहै	समहे समहै

Count of Parasmaipada लेट् Affixes with अट् / इट् + अट् = 15+15.

Count of Atmanepada लेट् Affixes with अट् / इट् + अट् = 16+16.

Count of Parasmaipada लेट् Affixes with आट् / इट् + आट् = 15+15.

Count of Atmanepada लेट् Affixes with with आट् / इट् आट्= 16+16.

We see there are in all 31 + 31 + 30 + 30 = 122 distinct affixes for the Ardhadhatuka Vedic लेट् ।

Count of Affixes for Ardhadhatuka Ting Lakaras

3.4.113 तिङ्शित्सार्वधातुकम् । Affixes of तिङ् Lakaras, and Affixes that have श् as Tag Letter, when these affixes are affixed to a Dhatu, are called Sarvadhatuka.

3.4.114 आर्धधातुकं शेषः । All the remaining Affixes listed in the Ashtadhyayi, when these affixes are affixed to a Dhatu, are called Ardhadhatuka.

Count of affixes for Ardhadhatuka तिङ् Lakaras:

Ardhadhatuka लृट् = 18, अनिट्+सेट् = 36

Ardhadhatuka लृङ् = 18, अनिट्+सेट् = 36

Ardhadhatuka लुट् = 18, अनिट्+सेट् = 36

Ardhadhatuka आशीर्लिङ् = 18, अनिट्+सेट् = 27

Ardhadhatuka लिट् = 18, अनिट्+सेट् = 25

Ardhadhatuka लुङ् = 90, अनिट्+सेट् = 108

Ardhadhatuka Vedic लेट् = 61, अनिट्+सेट् = 122

Total Ardhadhatuka तिङ् Ting Affixes that get applied = 18+18+18+18+18+90+61 = 241.

(Distinct affixes = 36+36+36+27+25+108+122 = 390).

Example 1c Conjugation Tables in 10 Lakaras

1. भू सत्तायाम् । भू । भू । भवति । P । सेट्० । अ० । to be, exist, bless

लट् 1 Present Tense			लङ् 2 Imperfect Past Tense		
भवति	भवतः	भवन्ति	अभवत् / द्	अभवताम्	अभवन्
भवसि	भवथः	भवथ	अभवः	अभवतम्	अभवत
भवामि	भवावः	भवामः	अभवम्	अभवाव	अभवाम

लोट् 3 Imperative Mood			विधिलिङ् 4 Potential Mood		
भवतु , भवतात् /द्	भवताम्	भवन्तु	भवेत् / द्	भवेताम्	भवेयुः
भव , भवतात् /द्	भवतम्	भवत	भवेः	भवेतम्	भवेत
भवानि	भवाव	भवाम	भवेयम्	भवेव	भवेम

Note –तात् affix alternate form for लोट् is not shown hereafter, to enhance readability. We can safely assume it for every Root.

For Parasmaipada Verb forms ending in –त्, i/1 forms for लङ् लोट् लृङ् आशीर्लिङ् लुङ् we have an alternate ending form –द् by 8.2.39 झलां जशोऽन्ते and –त् by 8.4.56 वाऽवसाने । This too is not shown and can be safely assumed for each Parasmaipada Root.

लृट् 5 Simple Future Tense			लृङ् 6 Conditional Mood		
भविष्यति	भविष्यतः	भविष्यन्ति	अभविष्यत् / द्	अभविष्यताम्	अभविष्यन्
भविष्यसि	भविष्यथः	भविष्यथ	अभविष्यः	अभविष्यतम्	अभविष्यत
भविष्यामि	भविष्यावः	भविष्यामः	अभविष्यम्	अभविष्याव	अभविष्याम

लुट् 7 Periphrastic Future			आशीर्लिङ् 8 Benedictive Mood		
भविता	भवितारौ	भवितारः	भूयात् / द्	भूयास्ताम्	भूयासुः
भवितासि	भवितास्थः	भवितास्थ	भूयाः	भूयास्तम्	भूयास्त
भवितास्मि	भवितास्वः	भवितास्मः	भूयासम्	भूयास्व	भूयास्म

लिट् 9 Perfect Past Tense			लुङ् 10 Aorist Past Tense		
बभूव	बभूवतुः	बभूवुः	अभूत् / द्	अभूताम्	अभूवन्
बभूविथ	बभूवथुः	बभूव	अभूः	अभूतम्	अभूत
बभूव	बभूविव	बभूविम	अभूवम्	अभूव	अभूम

2. एध वृद्धौ । एधँ । एध् । एधते । A । सेट् । अ० । to evolve, increase, prosper

लट् 1 Present Tense

एधते	एधेते	एधन्ते
एधसे	एधेथे	एधध्वे
एधे	एधावहे	एधामहे

लङ् 2 Imperfect Past Tense आट्

ऐधत	ऐधेताम्	ऐधन्त
ऐधथाः	ऐधेथाम्	ऐधध्वम्
ऐधे	ऐधावहि	ऐधामहि

लोट् 3 Imperative Mood

एधताम्	एधेताम्	एधन्ताम्
एधस्व	एधेथाम्	एधध्वम्
एधै	एधावहै	एधामहै

विधिलिङ् 4 Potential Mood

एधेत	एधेयाताम्	एधेरन्
एधेथाः	एधेयाथाम्	एधेध्वम्
एधेय	एधेवहि	एधेमहि

लृट् 5 Simple Future Tense

एधिष्यते	एधिष्येते	एधिष्यन्ते
एधिष्यसे	एधिष्येथे	एधिष्यध्वे
एधिष्ये	एधिष्यावहे	एधिष्यामहे

लृङ् 6 Conditional Mood आट्

ऐधिष्यत	ऐधिष्येताम्	ऐधिष्यन्त
ऐधिष्यथाः	ऐधिष्येथाम्	ऐधिष्यध्वम्
ऐधिष्ये	ऐधिष्यावहि	ऐधिष्यामहि

लुट् 7 Periphrastic Future

एधिता	एधितारौ	एधितारः
एधितासे	एधितासाथे	एधिताध्वे
एधिताहे	एधितास्वहे	एधितास्महे

आशीर्लिङ् 8 Benedictive Mood

एधिषीष्ट	एधिषीयास्ताम्	एधिषीरन्
एधिषीष्ठाः	एधिषीयास्थाम्	एधिषीध्वम्
एधिषीय	एधिषीवहि	एधिषीमहि

लिट् 9 Perfect Past 3.1.35 3.1.36

एधाञ्चक्रे , एधाम्बभूव , एधामास	एधाञ्चक्राते , एधाम्बभूवतुः , एधामासतुः	एधाञ्चक्रिरे , एधाम्बभूवुः , एधामासुः
एधाञ्चकृषे , एधाम्बभूविथ , एधामासिथ	एधाञ्चक्राथे , एधाम्बभूवथुः , एधामासथुः	एधाञ्चकृढ्वे , एधाम्बभूव , एधामास
एधाञ्चक्रे , एधाम्बभूव , एधामास	एधाञ्चकृवहे , एधाम्बभूविव , एधामासिव	एधाञ्चकृमहे , एधाम्बभूविम , एधामासिम

लुङ् 10 Aorist Past Tense आट्

ऐधिष्ट	ऐधिषाताम्	ऐधिषत
ऐधिष्ठाः	ऐधिषाथाम्	ऐधिढ्वम्
ऐधिषि	ऐधिष्वहि	ऐधिष्महि

11. वदि अभिवादनस्तुत्योः । वदिँ । वन्द् । वन्दते । A । सेट् । स० । to greet 7.1.58

वन्दते	वन्देते	वन्दन्ते	अवन्दत	अवन्देताम्	अवन्दन्त
वन्दसे	वन्देथे	वन्दध्वे	अवन्दथाः	अवन्देथाम्	अवन्दध्वम्
वन्दे	वन्दावहे	वन्दामहे	अवन्दे	अवन्दावहि	अवन्दामहि

वन्दताम्	वन्देताम्	वन्दन्ताम्	वन्देत	वन्देयाताम्	वन्देरन्
वन्दस्व	वन्देथाम्	वन्दध्वम्	वन्देथाः	वन्देयाथाम्	वन्देध्वम्
वन्दै	वन्दावहै	वन्दामहै	वन्देय	वन्देवहि	वन्देमहि

वन्दिष्यते	वन्दिष्येते	वन्दिष्यन्ते	अवन्दिष्यत	अवन्दिष्येताम्	अवन्दिष्यन्त
वन्दिष्यसे	वन्दिष्येथे	वन्दिष्यध्वे	अवन्दिष्यथाः	अवन्दिष्येथाम्	अवन्दिष्यध्वम्
वन्दिष्ये	वन्दिष्यावहे	वन्दिष्यामहे	अवन्दिष्ये	अवन्दिष्यावहि	अवन्दिष्यामहि

वन्दिता	वन्दितारौ	वन्दितारः	वन्दिषीष्ट	वन्दिषीयास्ताम्	वन्दिषीरन्
वन्दितासे	वन्दितासाथे	वन्दिताध्वे	वन्दिषीष्ठाः	वन्दिषीयास्थाम्	वन्दिषीध्वम्
वन्दिताहे	वन्दितास्वहे	वन्दितास्महे	वन्दिषीय	वन्दिषीवहि	वन्दिषीमहि

ववन्दे	ववन्दाते	ववन्दिरे	अवन्दिष्ट	अवन्दिषाताम्	अवन्दिषत
ववन्दिषे	ववन्दाथे	ववन्दिध्वे	अवन्दिष्ठाः	अवन्दिषाथाम्	अवन्दिध्वम्
ववन्दे	ववन्दिवहे	ववन्दिमहे	अवन्दिषि	अवन्दिष्वहि	अवन्दिष्महि

16. मुद हर्षे । मुदँ । मुद् । मोदते । A । सेट् । अ० । to rejoice

मोदते	मोदेते	मोदन्ते	अमोदत	अमोदेताम्	अमोदन्त
मोदसे	मोदेथे	मोदध्वे	अमोदथाः	अमोदेथाम्	अमोदध्वम्
मोदे	मोदावहे	मोदामहे	अमोदे	अमोदावहि	अमोदामहि

मोदताम्	मोदेताम्	मोदन्ताम्	मोदेत	मोदेयाताम्	मोदेरन्
मोदस्व	मोदेथाम्	मोदध्वम्	मोदेथाः	मोदेयाथाम्	मोदेध्वम्
मोदै	मोदावहै	मोदामहै	मोदेय	मोदेवहि	मोदेमहि

मोदिष्यते	मोदिष्येते	मोदिष्यन्ते	अमोदिष्यत	अमोदिष्येताम्	अमोदिष्यन्त
मोदिष्यसे	मोदिष्येथे	मोदिष्यध्वे	अमोदिष्यथाः	अमोदिष्येथाम्	अमोदिष्यध्वम्
मोदिष्ये	मोदिष्यावहे	मोदिष्यामहे	अमोदिष्ये	अमोदिष्यावहि	अमोदिष्यामहि

मोदिता	मोदितारौ	मोदितारः	मोदिषीष्ट	मोदिषीयास्ताम्	मोदिषीरन्
मोदितासे	मोदितासाथे	मोदिताध्वे	मोदिषीष्ठाः	मोदिषीयास्थाम्	मोदिषीध्वम्
मोदिताहे	मोदितास्वहे	मोदितास्महे	मोदिषीय	मोदिषीवहि	मोदिषीमहि

मुमुदे	मुमुदाते	मुमुदिरे	अमोदिष्ट	अमोदिषाताम्	अमोदिषत
मुमुदिषे	मुमुदाथे	मुमुदिध्वे	अमोदिष्ठाः	अमोदिषाथाम्	अमोदिध्वम्
मुमुदे	मुमुदिवहे	मुमुदिमहे	अमोदिषि	अमोदिष्वहि	अमोदिष्महि

362 तिपृ क्षरणे । तिपुँ । तिप् । तेपते । A । अनिट् । अ० । sprinkle

लट् 1 Present Tense

तेपते	तेपेते	तेपन्ते
तेपसे	तेपेथे	तेपध्वे
तेपे	तेपावहे	तेपामहे

लङ् 2 Imperfect Past Tense

अतेपत	अतेपेताम्	अतेपन्त
अतेपथाः	अतेपेथाम्	अतेपध्वम्
अतेपे	अतेपावहि	अतेपामहि

लोट् 3 Imperative Mood

तेपताम्	तेपेताम्	तेपन्ताम्
तेपस्व	तेपेथाम्	तेपध्वम्
तेपै	तेपावहै	तेपामहै

विधिलिङ् 4 Potential Mood

तेपेत	तेपेयाताम्	तेपेरन्
तेपेथाः	तेपेयाथाम्	तेपेध्वम्
तेपेय	तेपेवहि	तेपेमहि

लृट् 5 Simple Future Tense

तेप्स्यते	तेप्स्येते	तेप्स्यन्ते
तेप्स्यसे	तेप्स्येथे	तेप्स्यध्वे
तेप्स्ये	तेप्स्यावहे	तेप्स्यामहे

लृङ् 6 Conditional Mood

अतेप्स्यत	अतेप्स्येताम्	अतेप्स्यन्त
अतेप्स्यथाः	अतेप्स्येथाम्	अतेप्स्यध्वम्
अतेप्स्ये	अतेप्स्यावहि	अतेप्स्यामहि

लुट् 7 Periphrastic Future Tense

तेप्ता	तेप्तारौ	तेप्तारः
तेप्तासे	तेप्तासाथे	तेप्ताध्वे
तेप्ताहे	तेप्तास्वहे	तेप्तास्महे

आशीर्लिङ् 8 Benedictive Mood

तिप्सीष्ट	तिप्सीयास्ताम्	तिप्सीरन्
तिप्सीष्ठाः	तिप्सीयास्थाम्	तिप्सीध्वम्
तिप्सीय	तिप्सीवहि	तिप्सीमहि

लिट् 9 Perfect Past Tense

तितिपे	तितिपाते	तितिपिरे
तितिपिषे	तितिपाथे	तितिपिध्वे
तितिपे	तितिपिवहे	तितिपिमहे

लुङ् 10 Aorist Past Tense

अतिप्त	अतिप्साताम्	अतिप्सत
अतिप्थाः	अतिप्साथाम्	अतिब्ध्वम्
अतिप्सि	अतिप्स्वहि	अतिप्स्महि

Q. Why ii/1 तितिपिषे and not तितिप्से? A. By 7.2.13 कृसृभृवृस्तुद्रुस्रुश्रुवो लिटि ।
For लिट् affix, these specific roots do not get इट् । By extrapolation of this
Sutra, for लिट् affix, all other Roots of Dhatupatha shall get इट् irrespective
of whether they are सेट् or अनिट् ।

91

Example 2c Conjugation Tables in 10 Lakaras

1012 हन हिंसागत्योः । kill

2c 2 । हनँ । हन् । हन्ति । P* । अनिट्* । स० । 6.4.98 7.3.54[1] 8.3.24[2]

लट् 1 Present Tense 6.4.37[3]		
हन्ति	हतः[3]	घ्नन्ति[1]
हंसि[2]	हथः[3]	हथ
हन्मि	हन्वः	हन्मः

लङ् 2 Imperfect PastTense 8.2.23		
अहन्	अहताम्	अघ्नन्[1]
अहन्	अहतम्	अहत
अहनम्	अहन्व	अहन्म

लोट् 3 ImperativeMood 6.4.36 हन्तेर्जः		
हन्तु	हताम्	घ्नन्तु[1]
जहि	हतम्	हत
हनानि	हनाव	हनाम

विधिलिङ् 4 Potential Mood		
हन्यात्	हन्याताम्	हन्युः
हन्याः	हन्यातम्	हन्यात
हन्याम्	हन्याव	हन्याम

लृट् 5 Simple Future 7.2.70 ऋद्धनोः स्ये		
हनिष्यति	हनिष्यतः	हनिष्यन्ति
हनिष्यसि	हनिष्यथः	हनिष्यथ
हनिष्यामि	हनिष्यावः	हनिष्यामः

लृङ् 6 Conditional Mood		
अहनिष्यत्	अहनिष्यताम्	अहनिष्यन्
अहनिष्यः	अहनिष्यतम्	अहनिष्यत
अहनिष्यम्	अहनिष्याव	अहनिष्याम

लुट् 7 Periphrastic Future		
हनता	हनतारौ	हनतारः
हनतासे	हनतासाथे	हनताध्वे
हनताहे	हनतास्वहे	हनतास्महे

आशीर्लिङ् 8 Benedictive 2.4.42		
वध्यात्	वध्यास्ताम्	वध्यासुः
वध्याः	वध्यास्तम्	वध्यास्त
वध्यासम्	वध्यास्व	वध्यास्म

लिट् 9 Perfect Past Tense 7.3.55		
जघान	जघ्नतुः	जघ्नुः
जघनिथ , जघन्त	जघ्नथुः	जघ्न
जघान , जघन	जघ्निव	जघ्निम

लुङ् 10 Aorist Past Tense 2.4.43		
अवधीत्	अवधिष्टाम्	अवधिषुः
अवधीः	अवधिष्टम्	अवधिष्ट
अवधिषम्	अवधिष्व	अवधिष्म

1072 जागृ निद्राक्षये । 6.1.6 7.1.4 3.1.38 3.4.109 7.3.83 7.3.85 6.1.68
2c 62 जागृ । जागृ । जागर्ति । P । सेट् । अ० । be awake, watchful, attentive

जागर्ति	जागृतः	जाग्रति	अजागः	अजागृताम्	अजागरुः
जागर्षि	जागृथः	जागृथ	अजागः	अजागृतम्	अजागृत
जागर्मि	जागृवः	जागृमः	अजागरम्	अजागृव	अजागृम

जागर्तु	जागृताम्	जाग्रतु	जागृयात्	जागृयाताम्	जागृयुः
जागृहि	जागृतम्	जागृत	जागृयाः	जागृयातम्	जागृयात
भावयाणि	भावयाव	भावयाम	जागृयाम्	जागृयाव	जागृयाम

जागरिष्यति	जागरिष्यतः	जागरिष्यन्ति	अजागरिष्यत्	अजागरिष्यताम्	अजागरिष्यन्
जागरिष्यसि	जागरिष्यथः	जागरिष्यथ	अजागरिष्यः	अजागरिष्यतम्	अजागरिष्यत
जागरिष्यामि	जागरिष्यावः	जागरिष्यामः	अजागरिष्यम्	अजागरिष्याव	अजागरिष्याम

जागरिता	जागरितारौ	जागरितारः	जागर्यात्	जागर्यास्ताम्	जागर्यासुः
जागरितासि	जागरितास्थः	जागरितास्थ	जागर्याः	जागर्यास्तम्	जागर्यास्त
जागरितास्मि	जागरितास्वः	जागरितास्मः	जागर्यासम्	जागर्यास्व	जागर्यास्म

जजागार / जागराञ्चकार जागराम्बभूव जागरामास	जजागरतुः / जागराञ्चक्रतुः जागराम्बभूवतुः जागरामासतुः	जजागरुः / जागराञ्चक्रुः जागराम्बभूवुः जागरामासुः	अजागरीत्	अजागरिष्टाम्	अजागरिषुः
जजागरिथ / जागराञ्चकर्थ जागराम्बभूविथ जागरामासिथ	जजागरथुः / जागराञ्चक्रथुः जागराम्बभूवथुः जागरामासथुः	जजागर / जागराञ्चक्र जागराम्बभूव जागरामास	अजागरीः	अजागरिष्टम्	अजागरिष्ट
जजागर, जजागार / जागराञ्चकर, -कार जागराम्बभूव (already वृद्धि) जागरामास	जजागरिव / जागराञ्चकृव जागराम्बभूविव जागरामासिव	जजागरिम / जागराञ्चकृम जागराम्बभूविम जागरामासिम	अजागरिषम्	अजागरिष्व	अजागरिष्म

Q. Why two forms i/1 जजागर, जजागार but one form iii/1 जजागार?

A. By 7.1.91 णलुत्तमो वा the i/1 affix is Optionally णित् ।

Example 3c Conjugation Tables in 10 Lakaras

1086 पृ पालनपूरणयोः । पॄ इत्येके । उदात्तः परस्मैभाषः । nurture, satisfy 7.1.102 8.2.77
3c 4 पृ । पृ । पिपर्ति । P। सेट् । स० । 1.1.51 7.1.91 7.2.38 7.4.12 7.4.60 7.4.66 7.4.77

लट् 1 Present Tense			लङ् 2 Imperfect PastTense		
पिपर्ति	पिपूर्तः	पिपुरति	अपिपः	अपिपूर्ताम्	अपिपरुः
पिपर्षि	पिपूर्थः	पिपूर्थ	अपिपः	अपिपूर्तम्	अपिपूर्त
पिपर्मि	पिपूर्वः	पिपूर्मः	अपिपरम्	अपिपूर्व	अपिपूर्म

लोट् 3 Imperative Mood			विधिलिङ् 4 Potential Mood		
पिपर्तु	पिपूर्ताम्	पिपुरतु	पिपूर्यात्	पिपूर्याताम्	पिपूर्युः
पिपूर्हि	पिपूर्तम्	पिपूर्त	पिपूर्याः	पिपूर्यातम्	पिपूर्यात
पिपराणि	पिपराव	पिपराम	पिपूर्याम्	पिपूर्याव	पिपूर्याम

लृट् 5 Simple Future Tense			लृङ् 6 Conditional Mood		
परिष्यति ,	परिष्यतः ,	परिष्यन्ति ,	अपरिष्यत् ,	अपरिष्यताम् ,	अपरिष्यन् ,
परीष्यति	परीष्यतः	परीष्यन्ति	अपरीष्यत्	अपरीष्यताम्	अपरीष्यन्
परिष्यसि ,	परिष्यथः ,	परिष्यथ ,	अपरिष्यः ,	अपरिष्यतम् ,	अपरिष्यत ,
परीष्यसि	परीष्यथः	परीष्यथ	अपरीष्यः	अपरीष्यतम्	अपरीष्यत
परिष्यामि ,	परिष्यावः ,	परिष्यामः ,	अपरिष्यम् ,	अपरिष्याव ,	अपरिष्याम ,
परीष्यामि	परीष्यावः	परीष्यामः	अपरीष्यम्	अपरीष्याव	अपरीष्याम

लुट् 7 Periphrastic Future			आशीर्लिङ् 8 Benedictive Mood		
परिता ,	परितारौ ,	परितारः ,	पूर्यात्	पूर्यास्ताम्	पूर्यासुः
परीता	परीतारौ	परीतारः			
परितासि ,	परितास्थः ,	परितास्थ ,	पूर्याः	पूर्यास्तम्	पूर्यास्त
परीतासि	परीतास्थः	परीतास्थ			
परितास्मि ,	परितास्वः ,	परितास्मः ,	पूर्यासम्	पूर्यास्व	पूर्यास्म
परीतास्मि	परीतास्वः	परीतास्मः			

लिट् 9 Perfect Past Tense			लुङ् 10 Aorist Past Tense		
पपार	पपरतुः , पप्रतुः	पपरुः , पप्रुः	अपारीत्	अपारिष्टाम्	अपारिषुः
पपरिथ	पपरथुः , पप्रथुः	पपर , पप्र	अपारीः	अपारिष्टम्	अपारिष्ट
पपार , पपर	पपरिव , पप्रिव	पपरिम , पप्रिम	अपारिषम्	अपारिष्व	अपारिष्म

Example 4c Conjugation Tables in 10 Lakaras

1108 षिवु तन्तुसन्ताने । sew, stitch, sow, plant

4c 2 षिवुँ । सिव् । सीव्यति । P । सेट् । स० । 6.1.64 8.2.77 6.4.19 7.2.49

लट् 1 Present Tense

सीव्यति	सीव्यतः	सीव्यन्ति
सीव्यसि	सीव्यथः	सीव्यथ
सीव्यामि	सीव्यावः	सीव्यामः

लङ् 2 Imperfect PastTense

असीव्यत्	असीव्यताम्	असीव्यन्
असीव्यः	असीव्यतम्	असीव्यत
असीव्यम्	असीव्याव	असीव्याम

लोट् 3 Imperative Mood

सीव्यतु	सीव्यताम्	सीव्यन्तु
सीव्य	सीव्यतम्	सीव्यत
सीव्यानि	सीव्याव	सीव्याम

विधिलिङ् 4 Potential Mood

सीव्येत्	सीव्येताम्	सीव्येयुः
सीव्येः	सीव्येतम्	सीव्येत
सीव्येयम्	सीव्येव	सीव्येम

लृट् 5 Simple Future Tense

सेविष्यति	सेविष्यतः	सेविष्यन्ति
सेविष्यसि	सेविष्यथः	सेविष्यथ
सेविष्यामि	सेविष्यावः	सेविष्यामः

लृङ् 6 Conditional Mood

असेविष्यत्	असेविष्यताम्	असेविष्यन्
असेविष्यः	असेविष्यतम्	असेविष्यत
असेविष्यम्	असेविष्याव	असेविष्याम

लुट् 7 Periphrastic Future

सेविता	सेवितारौ	सेवितारः
सेवितासि	सेवितास्थः	सेवितास्थ
सेवितास्मि	सेवितास्वः	सेवितास्मः

आशीर्लिङ् 8 Benedictive Mood

सीव्यात्	सीव्यास्ताम्	सीव्यासुः
सीव्याः	सीव्यास्तम्	सीव्यास्त
सीव्यासम्	सीव्यास्व	सीव्यास्म

लिट् 9 Perfect Past Tense

सिषेव	सिषिवतुः	सिषिवुः
सिषेविथ	सिषिवथुः	सिषिव
सिषेव	सिषिविव	सिषिविम

लुङ् 10 Aorist Past Tense

असेवीत्	असेविष्टाम्	असेविषुः
असेवीः	असेविष्टम्	असेविष्ट
असेविषम्	असेविष्व	असेविष्म

Example 5c Conjugation Tables in 10 Lakaras

1257 हि गतौ वृद्धौ च । go, inspire, set in motion 7.3.56 7.2.1 7.4.25

5c 11 हि॒ । हि । हिनोति । P । अनिट् । स०* । 6.4.87[1] 8.3.59[4] 6.4.106[3] 6.4.107[2]

लट् 1 Present Tense

हिनोति	हिनुतः	हिन्वन्ति[1]
हिनोषि[4]	हिनुथः	हिनुथ
हिनोमि	हिनुवः	हिनुमः
	हिन्वः[2]	हिन्मः[2]

लङ् 2 Imperfect PastTense

अहिनोत्	अहिनुताम्	अहिन्वन्[1]
अहिनोः	अहिनुतम्	अहिनुत
अहिनवम्	अहिनुव	अहिनुम
	अहिन्व[2]	अहिन्म[2]

लोट् 3 Imperative Mood

हिनोतु	हिनुताम्	हिन्वन्तु[1]
हिनु[3]	हिनुतम्	हिनुत
हिनवानि	हिनवाव	हिनवाम

विधिलिङ् 4 Potential Mood

हिनुयात्	हिनुयाताम्	हिनुयुः
हिनुयाः	हिनुयातम्	हिनुयात
हिनुयाम्	हिनुयाव	हिनुयाम

लृट् 5 Simple Future Tense

हेष्यति	हेष्यतः	हेष्यन्ति
हेष्यसि	हेष्यथः	हेष्यथ
हेष्यामि	हेष्यावः	हेष्यामः

लृङ् 6 Conditional Mood

अहेष्यत्	अहेष्यताम्	अहेष्यन्
अहेष्यः	अहेष्यतम्	अहेष्यत
अहेष्यम्	अहेष्याव	अहेष्याम

लुट् 7 Periphrastic Future

हेता	हेतारौ	हेतारः
हेतासि	हेतास्थः	हेतास्थ
हेतास्मि	हेतास्वः	हेतास्मः

आशीर्लिङ् 8 Benedictive Mood

हीयात्	हीयास्ताम्	हीयासुः
हीयाः	हीयास्तम्	हीयास्त
हीयासम्	हीयास्व	हीयास्म

लिट् 9 Perfect Past Tense

जिघाय	जिघ्यतुः	जिघयुः
जिघयिथ , जिघेथ	जिघ्यथुः	जिघ्य
जिघाय , जिघय	जिघ्यिव	जिघ्यिम

लुङ् 10 Aorist Past Tense आट्

अहैषीत्	अहैष्टाम्	अहैषुः
अहैषीः	अहैष्टम्	अहैष्ट
अहैषम्	अहैष्व	अहैष्म

Example 6c Conjugation Tables in 10 Lakaras

1281 तुद व्यथने । strike, give pain

6c 1 तुदँ । तुद् । तुदति / ते । U । अनिट् । स० । 6.1.97[1] अतो गुणे ।

Parasmaipada / Atmanepada verb forms

लट् 1 Present Tense

तुदति /	तुदतः /	तुदन्ति[1] /
तुदते	तुदेते	तुदन्ते[1]
तुदसि /	तुदथः /	तुदथ /
तुदसे	तुदेथे	तुदध्वे
तुदामि /	तुदावः /	तुदामः /
तुदे	तुदावहे	तुदामहे

लङ् 2 Imperfect PastTense

अतुदत् /	अतुदताम् /	अतुदन्[1] /
अतुदत	अतुदेताम्	अतुदन्त[1]
अतुदः /	अतुदतम् /	अतुदत /
अतुदथाः	अतुदेथाम्	अतुदध्वम्
अतुदम्[1] /	अतुदाव /	अतुदाम /
अतुदे	अतुदावहि	अतुदामहि

लोट् 3 Imperative Mood

तुदतु /	तुदताम् /	तुदन्तु[1] /
तुदताम्	तुदेताम्	तुदन्ताम्[1]
तुद /	तुदतम् /	तुदत /
तुदस्व	तुदेथाम्	तुदध्वम्
तुदानि /	तुदाव /	तुदाम /
तुदै	तुदावहै	तुदामहै

विधिलिङ् 4 Potential Mood

तुदेत् /	तुदेताम् /	तुदेयुः /
तुदेत	तुदेयाताम्	तुदेरन्
तुदेः /	तुदेतम् /	तुदेत /
तुदेथाः	तुदेयाथाम्	तुदेध्वम्
तुदेयम् /	तुदेव /	तुदेम /
तुदेय	तुदेवहि	तुदेमहि

लृट् 5 Simple Future Tense

तोत्स्यति /	तोत्स्यतः /	तोत्स्यन्ति[1] /
तोत्स्यते	तोत्स्येते	तोत्स्यन्ते[1]
तोत्स्यसि /	तोत्स्यथः /	तोत्स्यथ /
तोत्स्यसे	तोत्स्येथे	तोत्स्यध्वे
तोत्स्यामि /	तोत्स्यावः /	तोत्स्यामः /
तोत्स्ये	तोत्स्यावहे	तोत्स्यामहे

लृङ् 6 Conditional Mood

अतोत्स्यत् /	अतोत्स्यताम् /	अतोत्स्यन् /
अतोत्स्यत	अतोत्स्येताम्	अतोत्स्यन्त
अतोत्स्यः /	अतोत्स्यतम् /	अतोत्स्यत /
अतोत्स्यथाः	अतोत्स्येथाम्	अतोत्स्यध्वम्
अतोत्स्यम् /	अतोत्स्याव /	अतोत्स्याम /
अतोत्स्ये	अतोत्स्यावहि	अतोत्स्यामहि

लुट् 7 Periphrastic Future

तोत्ता /	तोत्तारौ /	तोत्तारः /
तोत्ता	तोत्तारौ	तोत्तारः
तोत्तासि /	तोत्तास्थः /	तोत्तास्थ /
तोत्तासे	तोत्तासाथे	तोत्ताध्वे
तोत्तास्मि /	तोत्तास्वः /	तोत्तास्मः /
तोत्ताहे	तोत्तास्वहे	तोत्तास्महे

आशीर्लिङ् 8 Benedictive Mood

तुद्यात् /	तुद्यास्ताम् /	तुद्यासुः /
तुत्सीष्ट	तुत्सीयास्ताम्	तुत्सीरन्
तुद्याः /	तुद्यास्तम् /	तुद्यास्त /
तुत्सीष्ठाः	तुत्सियास्थाम्	तुत्सीध्वम्
तुद्यासम् /	तुद्यास्व /	तुद्यास्म /
तुत्सीय	तुत्सीवहि	तुत्सीमहि

लिट् 9 Perfect Past Tense

तुतोद /	तुतुदतुः /	तुतुदुः /
तुतुदे	तुतुदाते	तुतुदिरे
तुतोदिथ /	तुतुदथुः /	तुतुद /
तुतुदिषे	तुतुदाथे	तुतुदिध्वे
तुतोद /	तुतुदिव /	तुतुदिम /
तुतुदे	तुतुदिवहे	तुतुदिमहे

लुङ् 10 Aorist Past Tense 7.2.3

अतौत्सीत् /	अतौत्ताम् /	अतौत्सुः /
अतुत्त	अतुत्साताम्	अतुत्सत
अतौत्सीः /	अतौत्तम् /	अतौत्त /
अतुत्थाः	अतुत्साथाम्	अतुत्द्धम्
अतौत्सम् /	अतौत्स्व /	अतौत्स्म /
अतुत्सि	अतुत्स्वहि	अतुत्स्महि

Example 7c Conjugation Tables in 10 Lakaras

1450 विद् विचारणे । think, reflect, meditate 1.1.47 6.4.111

7c 13 विदँ् । विद् । विन्ते । A । अनिट् । स० । 1.1.58 8.4.65 8.4.55 8.2.56

लट् 1 Present Tense

विन्ते , विन्त्ते	विन्दाते	विन्दते
विन्त्से	विन्दाथे	विन्द्ध्वे , विन्ध्वे
विन्दे	विन्द्वहे	विन्द्महे

लङ् 2 Imperfect PastTense

अविन्त, अविन्त्त	अविन्दाताम्	अविन्दत
अविन्त्थाः , अविन्थाः	अविन्दाथाम्	अविन्द्ध्वम् , अविन्ध्वम्
अविन्दि	अविन्द्वहि	अविन्द्महि

लोट् 3 Imperative Mood

विन्ताम् , विन्त्ताम्	विन्दाताम्	विन्दताम्
विन्त्स्व	विन्दाथाम्	विन्द्ध्वम् , विन्ध्वम्
विनदै	विनदावहै	विनदामहै

विधिलिङ् 4 Potential Mood

विन्दीत	विन्दीयाताम्	विन्दीरन्
विन्दीथाः	विन्दीयाथाम्	विन्दीध्वम्
विन्दीय	विन्दीवहि	विन्दीमहि

लृट् 5 Simple Future Tense

वेत्स्यते	वेत्स्येते	वेत्स्यन्ते
वेत्स्यसे	वेत्स्येथे	वेत्स्यध्वे
वेत्स्ये	वेत्स्यावहे	वेत्स्यामहे

लृङ् 6 Conditional Mood

अवेत्स्यत	अवेत्स्येताम्	अवेत्स्यन्त
अवेत्स्यथाः	अवेत्स्येथाम्	अवेत्स्यध्वम्
अवेत्स्ये	अवेत्स्यावहि	अवेत्स्यामहि

लुट् 7 Periphrastic Future

वेत्ता	वेत्तारौ	वेत्तारः
वेत्तासे	वेत्तासाथे	वेत्ताध्वे
वेत्ताहे	वेत्तास्वहे	वेत्तास्महे

आशीर्लिङ् 8 Benedictive Mood

वित्सीष्ट	वित्सीयास्ताम्	वित्सीरन्
वित्सीष्ठाः	वित्सीयास्थाम्	वित्सीध्वम्
वित्सीय	वित्सीवहि	वित्सीमहि

लिट् 9 Perfect Past Tense

विविदे	विविदाते	विविदिरे
विविदिषे	विविदाथे	विविदिध्वे
विविदे	विविदिवहे	विविदिमहे

लुङ् 10 Aorist Past Tense

अवित्त	अवित्साताम्	अवित्सत
अवित्थाः	अवित्साथाम्	अवितद्ध्वम्
अवित्सि	अवित्स्वहि	अवित्स्महि

Q. Why ii/1 विविदिषे and not विविद्से? This Root is अनिट् and these affixes are सेट् only for सेट् Roots. A. By 7.2.13 कृसृभृवृस्तुद्रुस्रुश्रुवो लिटि ।

Example 8c Conjugation Tables in 10 Lakaras

1471 मनु अवबोधने । उदात्तावनुदात्तेतावात्मनेभाषौ । know, understand

8c 9 मनुँ । मन् । मनुते । A । सेट् । स० । 6.1.77[1] 8.3.59[2] 6.4.107[3] 6.1.78[5]

मनुते	मन्वाते[1]	मन्वते[1]	अमनुत	अमन्वाताम्[1]	अमन्वत[1]
मनुषे[2]	मन्वाथे[1]	मनुध्वे	अमनुथाः	अमन्वाथाम्[1]	अमनुध्वम्
मन्वे[1]	मनुवहे	मनुमहे	अमन्वि[1]	अमनुवहि	अमनुमहि
	मन्वहे[3]	मन्महे[3]		अमन्वहि[3]	अमन्महि[3]

मनुताम्	मन्वाताम्[1]	मन्वताम्[1]	मन्वीत	मन्वीयाताम्	मन्वीरन्
मनुष्व[2]	मन्वाथाम्[1]	मनुध्वम्	मन्वीथाः	मन्वीयाथाम्	मन्वीध्वम्
मनवै[5]	मनवावहै[5]	मनवामहै[5]	मन्वीय	मन्वीवहि	मन्वीमहि

मनिष्यते	मनिष्येते	मनिष्यन्ते	अमनिष्यत	अमनिष्येताम्	अमनिष्यन्त
मनिष्यसे	मनिष्येथे	मनिष्यध्वे	अमनिष्यथाः	अमनिष्येथाम्	अमनिष्यध्वम्
मनिष्ये	मनिष्यावहे	मनिष्यामहे	अमनिष्ये	अमनिष्यावहि	अमनिष्यामहि

मनिता	मनितारौ	मनितारः	मनिषीष्ट	मनिषीयास्ताम्	मनिषीरन्
मनितासि	मनितासाथे	मनिताध्वे	मनिषीष्ठाः	मनिषीयास्थाम्	मनिषीध्वम्
मनिताहे	मनितास्वहे	मनितास्महे	मनिषीय	मनिषीवहि	मनिषीमहि

लिट् 9 Perfect Past Tense			लुङ् 10 Aorist Past Tense 6.4.37		
मेने	मेनाते	मेनिरे	अमत , अमनिष्ट	अमनिषाताम्	अमनिषत
मेनिषे	मेनाथे	मेनिध्वे	अमथाः , अमनिष्ठाः	अमनिषाथाम्	अमनिध्वम्
मेने	मेनिवहे	मेनिमहे	अमनिषि	अमनिष्वहि	अमनिष्महि

Q. Why अमत अमनिष्ट two forms in लुङ् iii/1, ii/1. Where is the Option Sutra?

A. By Sutra 2.4.79 तनादिभ्यस्तथासोः । Optional elision of सिच् for Affixes iii/1 and ii/1.

Example 9c Conjugation Tables in 10 Lakaras

1489 पृ पालनपूरणयोः । support, nurture, fulfill, fill 8.2.77 8.2.57 7.4.59 6.1.77
9c 17 पृ । पृ । पृणाति । P । सेट् । स० । पृणा । पृणी । पृण् । 6.4.112[1]
6.4.113[2] 6.1.101[3] 7.2.11 8.3.59 7.3.80 8.2.44 7.2.38 7.1.102 1.1.51

पृणाति	पृणीतः[2]	पृणन्ति[1]	अपृणात्	अपृणीताम्[2]	अपृणन्[1]
पृणासि	पृणीथः[2]	पृणीथ[2]	अपृणाः	अपृणीतम्[2]	अपृणीत[2]
पृणामि	पृणीवः[2]	पृणीमः[2]	अपृणाम्[3]	अपृणीव[2]	अपृणीम[2]

पृणातु	पृणीताम्[2]	पृणन्तु[1]	पृणीयात्	पृणीयाताम्	पृणीयुः
पृणीहि[2]	पृणीतम्[2]	पृणीत[2]	पृणीयाः	पृणीयातम्	पृणीयात
पृणानि[3]	पृणाव[3]	पृणाम[3]	पृणीयाम्	पृणीयाव	पृणीयाम

परिष्यति ,	परिष्यतः ,	परिष्यन्ति ,	अपरिष्यत् ,	अपरिष्यताम् ,	अपरिष्यन् ,
परीष्यति	परीष्यतः	परीष्यन्ति	अपरीष्यत्	अपरीष्यताम्	अपरीष्यन्
परिष्यसि ,	परिष्यथः ,	परिष्यथ ,	अपरिष्यः ,	अपरिष्यतम् ,	अपरिष्यत ,
परीष्यसि	परीष्यथः	परीष्यथ	अपरीष्यः	अपरीष्यतम्	अपरीष्यत
परिष्यामि ,	परिष्यावः ,	परिष्यामः ,	अपरिष्यम् ,	अपरिष्याव ,	अपरिष्याम ,
परीष्यामि	परीष्यावः	परीष्यामः	अपरीष्यम्	अपरीष्याव	अपरीष्याम

परिता ,	परितारौ ,	परितारः ,	पूर्यात्	पूर्यास्ताम्	पूर्यासुः
परीता	परीतारौ	परीतारः			
परितासि ,	परितास्थः ,	परितास्थ ,	पूर्याः	पूर्यास्तम्	पूर्यास्त
परीतासि	परीतास्थः	परीतास्थ			
परितास्मि ,	परितास्वः ,	परितास्मः ,	पूर्यासम्	पूर्यास्व	पूर्यास्म
परीतास्मि	परीतास्वः	परीतास्मः			

पपार	पपरतुः , पप्रतुः	पपरुः , पप्रुः	अपारीत्	अपारिष्टाम्	अपारिषुः
पपरिथ	पपरथुः , पप्रथुः	पपर , पप्र	अपारीः	अपारिष्टम्	अपारिष्ट
पपार , पपर	पपरिव , पप्रिव	पपरिम , पप्रिम	अपारिषम्	अपारिष्व	अपारिष्म

Example 10c Conjugation Tables in 10 Lakaras

1747 भुवोऽवकल्कने । अवकल्कनं मिश्रीकरणम् इत्येके । चिन्तनम् इत्यन्ये । imagine, contemplate, mix 6.1.78
10c 214 भू । भू । भावयति / ते , भवति । U । सेट् । स० । भावि । भावय । भुवोऽवकल्कने इति पाठः अनित्यण्यन्तत्वार्थः । पक्षे शप् । Siddhanta Kaumudi - The 1c Root 1 भू सत्तायाम् takes णिच् in the sense of अवकल्कने ।

Parasmaipada Verb Forms

लट् 1 Present Tense 6.1.97[1] 7.3.101[2]

भावयति	भावयतः	भावयन्ति[1]
भावयसि	भावयथः	भावयथ
भावयामि[1]	भावयावः[2]	भावयामः[2]

लङ् 2 Imperfect Past 6.1.97[1] 7.3.101[2]

अभावयत्	अभावयताम्	अभावयन्[1]
अभावयः	अभावयतम्	अभावयत
अभावयम्[1]	अभावयाव[2]	अभावयाम[2]

लोट् 3 Imperative 6.1.97[1] 6.1.101[3]

भावयतु	भावयताम्	भावयन्तु[1]
भावय	भावयतम्	भावयत
भावयानि[3]	भावयाव[3]	भावयाम[3]

विधिलिङ् 4 Potential Mood

भावयेत्	भावयेताम्	भावयेयुः
भावयेः	भावयेतम्	भावयेत
भावयेयम्	भावयेव	भावयेम

लृट् 5 Simple Future Tense 8.3.59

भावयिष्यति	भावयिष्यतः	भावयिष्यन्ति
भावयिष्यसि	भावयिष्यथः	भावयिष्यथ
भावयिष्यामि	भावयिष्यावः	भावयिष्यामः

लृङ् 6 Conditional Mood 8.3.59

अभावयिष्यत्	अभावयिष्यताम्	अभावयिष्यन्
अभावयिष्यः	अभावयिष्यतम्	अभावयिष्यत
अभावयिष्यम्	अभावयिष्याव	अभावयिष्याम

लुट् 7 Periphrastic Future

भावयिता	भावयितारौ	भावयितारः
भावयितासि	भावयितास्थः	भावयितास्थ
भावयितास्मि	भावयितास्वः	भावयितास्मः

आशीर्लिङ् 8 Benedictive Mood

भाव्यात्	भाव्यास्ताम्	भाव्यासुः
भाव्याः	भाव्यास्तम्	भाव्यास्त
भाव्यासम्	भाव्यास्व	भाव्यास्म

लिट् 9 PerfectPast 3.1.35 3.1.40 3.4.82 7.2.115[4]			लुङ् 10 Aorist Past 6.1.11		
भावयाञ्चकार[4]	भावयाञ्चक्रतुः	भावयाञ्चक्रुः	अबीभवत्	अबीभवताम्	अबीभवन्
भावयाम्बभूव	भावयाम्बभूवतुः	भावयाम्बभूवुः			
भावयामास	भावयामासतुः	भावयामासुः			
भावयाञ्चकर्थ	भावयाञ्चक्रथुः	भावयाञ्चक्र	अबीभवः	अबीभवतम्	अबीभवत
भावयाम्बभूविथ	भावयाम्बभूवथुः	भावयाम्बभूव			
भावयामासिथ	भावयामासथुः	भावयामास			
भावयाञ्चकर / भावयाञ्चकार[4]	भावयाञ्चकृव	भावयाञ्चकृम	अबीभवम्	अबीभवाव	अबीभवाम
भावयाम्बभूव	भावयाम्बभूविव	भावयाम्बभूविम			
भावयामास	भावयामासिव	भावयामासिम			

Atmanepada Verb Forms

लट् 1 Present Tense			लङ् 2 Imperfect Past Tense		
भावयते	भावयेते[4]	भावयन्ते[1]	अभावयत	अभावयेताम्[4]	अभावयन्त[1]
भावयसे	भावयेथे[4]	भावयध्वे	अभावयथाः	अभावयेथाम्[4]	अभावयध्वम्
भावये[1]	भावयावहे[2]	भावयामहे[2]	अभावये[4]	अभावयावहि[3]	अभावयामहि[3]

लोट् 3 Imperative Mood			विधिलिङ् 4 Potential Mood		
भावयताम्	भावयेताम्[4]	भावयन्ताम्[1]	भावयेत	भावयेयाताम्	भावयेरन्
भावयस्व	भावयेथाम्[4]	भावयध्वम्	भावयेथाः	भावयेयाथाम्	भावयेध्वम्
भावयै[5]	भावयावहै[3]	भावयामहै[3]	भावयेय	भावयेवहि	भावयेमहि

लृट् 5 Simple Future Tense			लृङ् 6 Conditional Mood		
भावयिष्यते	भावयिष्येते	भावयिष्यन्ते	अभावयिष्यत	अभावयिष्येताम्	अभावयिष्यन्त
भावयिष्यसे	भावयिष्येथे	भावयिष्यध्वे	अभावयिष्यथाः	अभावयिष्येथाम्	अभावयिष्यध्वम्
भावयिष्ये	भावयिष्यावहे	भावयिष्यामहे	अभावयिष्ये	अभावयिष्यावहि	अभावयिष्यामहि

लुट् 7 Periphrastic Future			आशीर्लिङ् 8 Benedictive Mood		
भविता	भवितारौ	भवितारः	भावयिषीष्ट	भावयिषीयास्ताम्	भावयिषीरन्
भवितासि	भवितास्थः	भवितास्थ	भावयिषीष्ठाः	भावयिषीयास्थाम्	भावयिषीध्वम्
					भावयिषीढ्वम्
भवितास्मि	भवितास्वः	भवितास्मः	भावयिषीय	भावयिषीवहि	भावयिषीमहि

लिट् 9 Perfect Past 3.1.35 3.1.40 3.4.82			लुङ् 10 Aorist Past 6.1.11		
भावयाञ्चक्रे	भावयाञ्चक्राते	भावयाञ्चक्रिरे	अबीभवत	अबीभवेताम्	अबीभवन्त
भावयाम्बभूव	भावयाम्बभूवतुः	भावयाम्बभूवुः			
भावयामास	भावयामासतुः	भावयामासुः			
भावयाञ्चकृषे	भावयाञ्चक्राथे	भावयाञ्चकृढ्वे	अबीभवथाः	अबीभवेथाम्	अबीभवध्वम्
भावयाम्बभूविथ	भावयाम्बभूवथुः	भावयाम्बभूव			
भावयामासिथ	भावयामासथुः	भावयामास			
भावयाञ्चकर / भावयाञ्चकार	भावयाञ्चकृवहे	भावयाञ्चकृमहे	अबीभवे	अबीभवावहि	अबीभवामहि
भावयाम्बभूव	भावयाम्बभूविव	भावयाम्बभूविम			
भावयामास	भावयामासिव	भावयामासिम			

Q. Why कृ forms are Atmanepadi, whereas भू and अस् forms are Parasmaipadi and not Atmanepadi in लिट् ?

A. When आम् follows, then in लिट् we simply add endings of Roots कृ भू अस् ।

Since कृ is Ubhayapada we have its Atmanepadi also, whereas Roots भू अस् are Parasmaipada and so only their Parasmaipadi forms are present.

Q. In Parasmaipada why भावयाञ्चकर भावयाञ्चकार i/1 two forms but भावयाञ्चकार iii/1 only one?
A. By 7.1.91 णलुत्तमो वा । Alternate forms for i/1 for Roots with short penultimate vowel.

Dhatu भू पठ् लभ् गम् कृ Conjugation Tables in 11 Lakaras

Conjugation Table Construction uses a 3x3 matrix for a single tense. For showing 5 Tenses and moods, the following template is used.

Example for Parasmaipada Root
1. भू सत्तायाम् । भू । भू । भवति । P । सेट्० । अ० । to exist

लट् Present भू + **शप्** + **ति** iii/1 Guna, Ayava Sandhi	लृट् Future भू + (इट्) **स्य** + **ति** iii/1 Guna, Ayava Sandhi	लट् भावे भू + **यक्** + **ते** iii/1 only Atmanepada affix
लङ् Past अट् + भू + **शप्** + **त्** iii/1 Guna, Ayava Sandhi	लोट् Imperative भू + **शप्** + **तु** iii/1 Guna, Ayava Sandhi	विधिलिङ् Potential भू + **शप्** + **इत्** iii/1 Guna, Ayava Sandhi

Example for Atmanepada Root
2. एध वृद्धौ । एधँ । एध् । एधते । A । सेट् । अ० । to evolve

लट् Present एध् + **शप्** + **ते** iii/1	लृट् Future एध् + (इट्) **स्य** + **ते** iii/1	लट् भावे एध् + **यक्** + **ते** iii/1 only Atmanepada affix
लङ् Past आट् + एध् + **शप्** + **त** iii/1	लोट् Imperative एध् + **शप्** + **ताम्** iii/1	विधिलिङ् Potential एध् + **शप्** + **इत** iii/1

1. भू सत्तायाम् । भू । भू । भवति । P । सेट्० । अ० । to be, exist, become

This Root has Parasmaipada Verb forms.

भू　　　　　　लट् 1. Present Tense Active Voice

	singular	dual	plural
Third person	भवति	भवतः	भवन्ति
Second person	भवसि	भवथः	भवथ
First person	भवामि	भवावः	भवामः

भू　　　　　　लङ् 2. Imperfect Past Tense

	singular	dual	plural
Third person	अभवत्	अभवताम्	अभवन्
Second person	अभवः	अभवतम्	अभवत
First person	अभवम्	अभवाव	अभवाम

भू　　　　　　लोट् 3. Imperative Mood

	singular	dual	plural
Third person	भवतु , भवतात्	भवताम्	भवन्तु
Second person	भव , भवतात्	भवतम्	भवत
First person	भवानि	भवाव	भवाम

भू　　　　　　विधिलिङ् 4. Potential Mood

	singular	dual	plural
Third person	भवेत्	भवेताम्	भवेयुः
Second person	भवेः	भवेतम्	भवेत
First person	भवेयम्	भवेव	भवेम

भू   लृट् 5. Simple Future Tense (2ⁿᵈ Future Tense)

	singular	dual	plural
Third person	भविष्यति	भविष्यतः	भविष्यन्ति
Second person	भविष्यसि	भविष्यथः	भविष्यथ
First person	भविष्यामि	भविष्यावः	भविष्यामः

भू   लृङ् 6. Conditional Mood

	singular	dual	plural
Third person	अभविष्यत्	अभविष्यताम्	अभविष्यन्
Second person	अभविष्यः	अभविष्यतम्	अभविष्यत
First person	अभविष्यम्	अभविष्याव	अभविष्याम

भू   लुट् 7. Periphrastic Future Tense (1ˢᵗ Future Tense)

	singular	dual	plural
Third person	भविता	भवितारौ	भवितारः
Second person	भवितासि	भवितास्थः	भवितास्थ
First person	भवितास्मि	भवितास्वः	भवितास्मः

भू   आशीर्लिङ् 8. Benedictive Mood

	singular	dual	plural
Third person	भूयात्	भूयास्ताम्	भूयासुः
Second person	भूयाः	भूयास्तम्	भूयास्त
First person	भूयासम्	भूयास्व	भूयास्म

भू   लिट् 9. Perfect Past Tense

	singular	dual	plural
Third person	बभूव	बभूवतुः	बभूवुः
Second person	बभूविथ	बभूवथुः	बभूव
First person	बभूव	बभूविव	बभूविम

भू		लुङ् 10. Aorist Past Tense	
	singular	dual	plural
Third person	अभूत्	अभूताम्	अभूवन्
Second person	अभूः	अभूतम्	अभूत
First person	अभूवम्	अभूव	अभूम

The लेट् verb forms given may not be accurate, as it is rare.

भू + अट्   लेट् सार्वधातुके 11a. Vedic Potential Mood 7.3.101

भव			
	singular	dual	plural
Third person	भवति , भवत् /भवद्	भवतः	भवन्ति , भवन्
Second person	भवसि , भवः	भवथः	भवथ
First person	भवमि , भवम्	भवावः , भवाव	भवामः , भवाम

भू + आट्   लेट् सार्वधातुके 11a. Vedic Potential Mood

भव			
	singular	dual	plural
Third person	भवाति , भवात् /भवाद्	भवातः	भवान्ति , भवान्
Second person	भवासि , भवाः	भवाथः	भवाथ
First person	भवामि , भवाम्	भवावः , भवाव	भवामः , भवाम

भू + सिप् + अट्   लेट् आर्धधातुके 11b. Vedic Potential Mood

भवि			
	singular	dual	plural
Third person	भविषति, भविषत्/भविषद्	भविषतः	भविषन्ति , भविषन्
Second person	भविषसि , भविषः	भविषथः	भविषथ
First person	भविषमि , भविषम्	भविषवः , भविषव	भविषमः , भविषम

भू + सिप् + आट् लेट् आर्धधातुके 11b. Vedic Potential Mood

भवि	singular	dual	plural
Third person	भविषाति, भविषात्/भविषाद्	भविषातः	भविषान्ति , भविषान्
Second person	भविषासि , भविषाः	भविषाथः	भविषाथ
First person	भविषामि , भविषाम्	भविषावः,भविषाव	भविषामः , भविषाम

3.1.34 सिब्बहुलं लेटि । सिब्बहुलं छन्दसि णिद्वक्तव्यः । A vartika to this sutra gives additional लेट् verb forms by 7.2.115 अचो ञ्णिति ।

भू + सिप् + अट् लेट् आर्धधातुके 11b. Vedic Potential Mood, Vartika

भावि	singular	dual	plural
Third person	भाविषति, भाविषत्/भाविषद्	भाविषतः	भाविषन्ति , भाविषन्
Second person	भाविषसि , भाविषः	भाविषथः	भाविषथ
First person	भाविषमि , भाविषम्	भाविषवः,भाविषव	भाविषमः , भाविषम

भू+सिप्+आट् लेट् आर्धधातुके 11b. Vedic Potential Mood, Vartika

भावि	singular	dual	plural
Third person	भाविषाति,भाविषात्/भाविषाद्	भाविषातः	भाविषान्ति,भाविषान्
Second person	भाविषासि , भाविषाः	भाविषाथः	भाविषाथ
First person	भाविषामि , भाविषाम्	भाविषावः,भाविषाव	भाविषामः, भाविषाम

330. पठ व्यक्तायां वाचि । पठँ । पठ् । पठति । P । सेट् । स० । to read, learn

This Root has Parasmaipada Verb forms.

पठ्	लट् 1. Present Tense Active Voice		
	singular	dual	plural
Third person	पठति	पठतः	पठन्ति
Second person	पठसि	पठथः	पठथ
First person	पठामि	पठावः	पठामः

पठ्	लङ् 2. Imperfect Past Tense		
	singular	dual	plural
Third person	अपठत्	अपठताम्	अपठन्
Second person	अपठः	अपठतम्	अपठत
First person	अपठम्	अपठाव	अपठाम

पठ्	लोट् 3. Imperative Mood		
	singular	dual	plural
Third person	पठतु , पठतात्	पठताम्	पठन्तु
Second person	पठ , पठतात्	पठतम्	पठत
First person	पठानि	पठाव	पठाम

पठ्	विधिलिङ् 4. Potential Mood		
	singular	dual	plural
Third person	पठेत्	पठेताम्	पठेयुः
Second person	पठेः	पठेतम्	पठेत
First person	पठेयम्	पठेव	पठेम

पठ् लृट् 5. Simple Future Tense (2nd Future Tense)

	singular	dual	plural
Third person	पठिष्यति	पठिष्यतः	पठिष्यन्ति
Second person	पठिष्यसि	पठिष्यथः	पठिष्यथ
First person	पठिष्यामि	पठिष्यावः	पठिष्यामः

पठ् लृङ् 6. Conditional Mood

	singular	dual	plural
Third person	अपठिष्यत्	अपठिष्यताम्	अपठिष्यन्
Second person	अपठिष्यः	अपठिष्यतम्	अपठिष्यत
First person	अपठिष्यम्	अपठिष्याव	अपठिष्याम

पठ् लुट् 7. Periphrastic Future Tense (1st Future Tense)

	singular	dual	plural
Third person	पठिता	पठितारौ	पठितारः
Second person	पठितासि	पठितास्थः	पठितास्थ
First person	पठितास्मि	पठितास्वः	पठितास्मः

पठ् आशीर्लिङ् 8. Benedictive Mood

	singular	dual	plural
Third person	पठ्यात्	पठ्यास्ताम्	पठ्यासुः
Second person	पठ्याः	पठ्यास्तम्	पठ्यास्त
First person	पठ्यासम्	पठ्यास्व	पठ्यास्म

पठ् लिट् 9. Perfect Past Tense

	singular	dual	plural
Third person	पपाठ	पेठतुः	पेठुः
Second person	पेठिथ	पेठथुः	पेठ
First person	पपाठ , पपठ	पेठिव	पेठिम

111

पठ्	लुङ् 10. Aorist Past Tense		
	singular	dual	plural
Third person	अपठीत् ,	अपठिष्टाम् ,	अपठिषुः ,
	अपाठीत्	अपाठिष्टाम्	अपाठिषुः
Second person	अपठीः ,	अपठिष्टम् ,	अपठिष्ट ,
	अपाठीः	अपाठिष्टम्	अपाठिष्ट
First person	अपठिषम् ,	अपठिष्व ,	अपठिष्म ,
	अपाठिषम्	अपाठिष्व	अपाठिष्म

The लेट् verb forms given may not be accurate, as it is rare.

पठ् + अट्	लेट् सार्वधातुके 11a. Vedic Potential Mood		
पठ	singular	dual	plural
Third person	पठति , पठत् /पठद्	पठतः	पठन्ति , पठन्
Second person	पठसि , पठः	पठथः	पठथ
First person	पठमि , पठम्	पठवः , पठव	पठमः , पठम

पठ् + आट्	लेट् सार्वधातुके 11a. Vedic Potential Mood		
पठ	singular	dual	plural
Third person	पठाति , पठात् /पठाद्	पठातः	पठान्ति , पठान्
Second person	पठासि , पठाः	पठाथः	पठाथ
First person	पठामि , पठाम्	पठावः , पठाव	पठामः , पठाम

पठ् + सिप् + अट्	लेट् आर्धधातुके 11b. Vedic Potential Mood		
पठि	singular	dual	plural
Third person	पठिषति, पठिषत्/पठिषद्	पठिषतः	पठिषन्ति , पठिषन्
Second person	पठिषसि , पठिषः	पठिषथः	पठिषथ
First person	पठिषमि , पठिषम्	पठिषवः , पठिषव	पठिषमः , भविषम

पठ् +सिप् +आट् लेट् आर्धधातुके 11b. Vedic Potential Mood

पठि	singular	dual	plural
Third person	पठिषाति, पठिषात्/पठिषाद्	पठिषातः	पठिषान्ति , पठिषान्
Second person	पठिषासि , पठिषाः	पठिषाथः	पठिषाथ
First person	पठिषामि , पठिषाम्	पठिषावः,पठिषाव	पठिषामः , पठिषाम

3.1.34 सिब्बहुलं लेटि । सिब्बहुलं छन्दसि णिद्वक्तव्यः । A vartika to this sutra gives additional लेट् verb forms by 7.2.115 अचो ञ्णिति ।

पठ् + सिप् + अट् लेट् आर्धधातुके 11b. Vedic Potential Mood, Vartika

पाठि	singular	dual	plural
Third person	पाठिषति, पाठिषत्/पाठिषद्	पाठिषतः	पाठिषन्ति , पाठिषन्
Second person	पाठिषसि , पाठिषः	पाठिषथः	पाठिषथ
First person	पाठिषमि , पाठिषम्	पाठिषवः,पाठिषव	पाठिषमः , पाठिषम

पठ्+सिप्+आट् लेट् आर्धधातुके 11b. Vedic Potential Mood, Vartika

पाठि	singular	dual	plural
Third person	पाठिषाति,पाठिषात्/पाठिषाद्	पाठिषातः	पाठिषान्ति,पाठिषान्
Second person	पाठिषासि , पाठिषाः	पाठिषाथः	पाठिषाथ
First person	पाठिषामि , पाठिषाम्	पाठिषावः,पाठिषाव	पाठिषामः , पाठिषाम

975. डुलभष् प्राप्तौ । डु॒ल॒भँ॒ष् । लभ् । लभते । A । अनिट् । स० । to get, attain

This Root has Atmanepada Verb forms.

लभ् लट् 1. Present Tense Active Voice

	singular	dual	plural
Third person	लभते	लभेते	लभन्ते
Second person	लभसे	लभेथे	लभध्वे
First person	लभे	लभावहे	लभामहे

लभ् लङ् 2. Imperfect Past Tense

	singular	dual	plural
Third person	अलभत	अलभेताम्	अलभन्त
Second person	अलभथाः	अलभेथाम्	अलभध्वम्
First person	अलभे	अलभावहि	अलभामहि

लभ् लोट् 3. Imperative Mood

	singular	dual	plural
Third person	लभताम् , लभतात्	लभेताम्	लभन्ताम्
Second person	लभस्व , लभतात्	लभेथाम्	लभध्वम्
First person	लभै	लभावहै	लभामहै

लभ् विधिलिङ् 4. Potential Mood

	singular	dual	plural
Third person	लभेत	लभेयाताम्	लभेरन्
Second person	लभेथाः	लभेयाथाम्	लभेध्वम्
First person	लभेय	लभेवहि	लभेमहि

लभ्   लृट् 5. Simple Future Tense (2nd Future Tense)

	singular	dual	plural
Third person	लप्स्यते	लप्स्येते	लप्स्यन्ते
Second person	लप्स्यसे	लप्स्येथे	लप्स्यध्वे
First person	लप्स्ये	लप्स्यावहे	लप्स्यामहे

लभ्   लृङ् 6. Conditional Mood

	singular	dual	plural
Third person	अलप्स्यत	अलप्स्येताम्	अलप्स्यन्त
Second person	अलप्स्यथाः	अलप्स्येथाम्	अलप्स्यध्वम्
First person	अलप्स्ये	अलप्स्यावहि	अलप्स्यामहि

लभ्   लुट् 7. Periphrastic Future Tense (1st Future Tense)

	singular	dual	plural
Third person	लब्धा	लब्धारौ	लब्धारः
Second person	लब्धासे	लब्धासाथे	लब्धाध्वे
First person	लब्धाहे	लब्धास्वहे	लब्धास्महे

लभ्   आशीर्लिङ् 8. Benedictive Mood

	singular	dual	plural
Third person	लप्सीष्ट	लप्सीयास्ताम्	लप्सीरन्
Second person	लप्सीष्ठाः	लप्सीयास्थाम्	लप्सीध्वम्
First person	लप्सीय	लप्सीवहि	लप्सीमहि

लभ्   लिट् 9. Perfect Past Tense

	singular	dual	plural
Third person	लेभे	लेभाते	लेभिरे
Second person	लेभिषे	लेभाथे	लेभिध्वे
First person	लेभे	लेभिवहे	लेभिमहे

लभ्   लुङ् 10. Aorist Past Tense

	singular	dual	plural
Third person	अलब्ध	अलप्साताम्	अलप्सत
Second person	अलब्धाः	अलप्साथाम्	अपठिष्ट
First person	अलप्सि	अलप्स्वहि	अलप्स्महि

The लेट् verb forms given may not be accurate, as it is rare.

लभ् + अट्   लेट् सार्वधातुके 11a. Vedic Potential Mood

	singular	dual	plural
Third person	लभते , लभतै	लभैते	लभन्ते , लभन्तै
Second person	लभसे , लभसै	लभैथे	लभध्वे , लभध्वै
First person	लभे , लभै	लभवहे , लभवहै	लभमहे , लभमहै

लभ् + आट्   लेट् सार्वधातुके 11a. Vedic Potential Mood

	singular	dual	plural
Third person	लभाते , लभातै	लभैते	लभान्ते , लभान्तै
Second person	लभासे , लभासै	लभैथे	लभाध्वे , लभाध्वै
First person	लभे , लभै	लभावहे , लभावहै	लभामहे , लभामहै

लभ् + सिप् + अट्   लेट् आर्धधातुके 11b. Vedic Potential Mood
लभि

	singular	dual	plural
Third person	लप्सते , लप्सतै	लप्सैते	लप्सन्ते , लप्सन्तै
Second person	लप्ससे , लप्ससै	लप्सैथे	लप्सध्वे , लप्सध्वै
First person	लप्से , लप्सै	लप्सवहे , लप्सवहै	लप्समहे , लप्समहै

लभ् +सिप् +आट् लेट् आर्धधातुके 11b. Vedic Potential Mood

लभि	singular	dual	plural
Third person	लप्साते , लप्सातै	लप्सैते	लप्सान्ते , लप्सान्तै
Second person	लप्सासे , लप्सासै	लप्सैथे	लप्साध्वे , लप्साध्वै
First person	लप्सै	लप्सावहे, लप्सावहै	लप्सामहे , लप्सामहै

3.1.34 सिब्बहुलं लेटि । सिब्बहुलं छन्दसि णिद्वक्तव्यः । A vartika to this sutra gives additional लेट् verb forms by 7.2.115 अचो ञ्णिति ।

लभ् +सिप् +अट् लेट् आर्धधातुके 11b. Vedic Potential Mood

लाभि	singular	dual	plural
Third person	लाप्सते , लाप्सतै	लाप्सैते	लाप्सन्ते , लाप्सन्तै
Second person	लाप्ससे , लाप्ससै	लाप्सैथे	लाप्सध्वे , लाप्सध्वै
First person	लाप्से , लाप्सै	लाप्सवहे , लाप्सवहै	लाप्समहे , लाप्समहै

लभ् +सिप् +आट् लेट् आर्धधातुके 11b. Vedic Potential Mood

लाभि	singular	dual	plural
Third person	लाप्साते , लाप्सातै	लाप्सैते	लाप्सान्ते , लाप्सान्तै
Second person	लाप्सासे , लाप्सासै	लाप्सैथे	लाप्साध्वे , लाप्साध्वै
First person	लाप्सै	लाप्सावहे , लाप्सावहै	लाप्सामहे , लाप्सामहै

982. गमॢ (गतौ) । गमॢँ । गम् । गच्छति । P । अनिट् । स० । to go, move
7.3.77 इषुगमियमां छः , शिति परतः । 6.1.73 छे च । इति गच्छ् ।
7.2.58 गमेरिट् परस्मैपदेषु । Hence इदित् for Parasmaipada Affixes.
8.3.24 नश्चापदान्तस्य झलि । 8.4.58 अनुस्वारस्य ययि परसवर्णः । By these Sutras, लुट् forms are like गन्ता etc.

This Root has Parasmaipada Verb forms.

गच्छ्	लट् 1. Present Tense Active Voice		
to go	singular	dual	plural
Third person	गच्छति	गच्छतः	गच्छन्ति
Second person	गच्छसि	गच्छथः	गच्छथ
First person	गच्छामि	गच्छावः	गच्छामः

गच्छ्	लङ् 2. Imperfect Past Tense		
	singular	dual	plural
Third person	अगच्छत्	अगच्छताम्	अगच्छन्
Second person	अगच्छः	अगच्छतम्	अगच्छत
First person	अगच्छम्	अगच्छाव	अगच्छाम

गच्छ्	लोट् 3. Imperative Mood		
	singular	dual	plural
Third person	गच्छतु , गच्छतात्	गच्छताम्	गच्छन्तु
Second person	गच्छ , गच्छतात्	गच्छतम्	गच्छत
First person	गच्छानि	गच्छाव	गच्छाम

गच्छ्	विधिलिङ् 4. Potential Mood		
	singular	dual	plural
Third person	गच्छेत्	गच्छेताम्	गच्छेयुः
Second person	गच्छेः	गच्छेतम्	गच्छेत
First person	गच्छेयम्	गच्छेव	गच्छेम

गम्   लृट् 5. Simple Future Tense (2nd Future Tense)

	singular	dual	plural
Third person	गमिष्यति	गमिष्यतः	गमिष्यन्ति
Second person	गमिष्यसि	गमिष्यथः	गमिष्यथ
First person	गमिष्यामि	गमिष्यावः	गमिष्यामः

गम्   लृङ् 6. Conditional Mood

	singular	dual	plural
Third person	अगमिष्यत्	अगमिष्यताम्	अगमिष्यन्
Second person	अगमिष्यः	अगमिष्यतम्	अगमिष्यत
First person	अगमिष्यम्	अगमिष्याव	अगमिष्याम

गम्   लुट् 7. Periphrastic Future Tense (1st Future Tense)

	singular	dual	plural
Third person	गन्ता	गन्तारौ	गन्तारः
Second person	गन्तासि	गन्तास्थः	गन्तास्थ
First person	गन्तास्मि	गन्तास्वः	गन्तास्मः

गम्   आशीर्लिङ् 8. Benedictive Mood

	singular	dual	plural
Third person	गम्यात्	गम्यास्ताम्	गम्यासुः
Second person	गम्याः	गम्यास्तम्	गम्यास्त
First person	गम्यासम्	गम्यास्व	पगम्यास्म

गम्   लिट् 9. Perfect Past Tense

	singular	dual	plural
Third person	जगाम	जग्मतुः	जग्मुः
Second person	जगमिथ , जगन्थ	जग्मथुः	जग्म

First person	जगाम , जगम	जग्मिव		जग्मिम

गम्　　　　　लुङ् 10. Aorist Past Tense

	singular	dual	plural
Third person	अगमत्	अगमताम्	अगमन्
Second person	अगमः	अगमतम्	अपठिष्ट
First person	अगमम्	अगमव	अगमम

The लेट् verb forms given may not be accurate, as it is rare.

गम् + अट्　　　लेट् सार्वधातुके 11a. Vedic Potential Mood

गच्छ् + अट्	singular	dual	plural
Third person	गच्छति , गच्छत् /गच्छद्	गच्छतः	गच्छन्ति , गच्छन्
Second person	गच्छसि , गच्छः	गच्छथः	गच्छथ
First person	गच्छमि , गच्छम्	गच्छवः , गच्छव	गच्छमः , गच्छम

गम् + आट्　　　लेट् सार्वधातुके 11a. Vedic Potential Mood

गच्छ् + आट्	singular	dual	plural
Third person	गच्छाति , गच्छात्/गच्छाद्	गच्छातः	गच्छान्ति , गच्छान्
Second person	गच्छासि , गच्छाः	गच्छाथः	गच्छाथ
First person	गच्छामि , गच्छाम्	गच्छावः ,गच्छाव	गच्छामः , गच्छाम

गम् +सिप् +अट्　लेट् आर्धधातुके 11b. Vedic Potential Mood

गमि	singular	dual	plural
Third person	गमिषति, गमिषत्/गमिषद्	गमिषतः	गमिषन्ति , गमिषन्
Second person	गमिषसि , गमिषः	गमिषथः	गमिषथ
First person	गमिषमि , गमिषम्	गमिषवः , गमिषव	गमिषमः , गमिषम

गम् +सिप् +आट् लेट् आर्धधातुके 11b. Vedic Potential Mood

गमि	singular	dual	plural
Third person	गमिषाति,गमिषात्/गमिषाद्	गमिषातः	गमिषान्ति , गमिषान्
Second person	गमिषासि , गमिषाः	गमिषाथः	गमिषाथ
First person	गमिषामि , गमिषाम्	गमिषावः ,गमिषाव	गमिषामः , गमिषाम

3.1.34 सिब्बहुलं लेटि । सिब्बहुलं छन्दसि णिद्वक्तव्यः । A vartika to this sutra gives additional लेट् verb forms by 7.2.115 अचो ञ्णिति ।

गम् +सिप् +अट् लेट् आर्धधातुके 11b. Vedic Potential Mood

गामि	singular	dual	plural
Third person	गामिषति, गामिषत्/गामिषद्	गामिषतः	गामिषन्ति , गामिषन्
Second person	गामिषसि , गामिषः	गामिषथः	गामिषथ
First person	गामिषमि , गामिषम्	गामिषवः ,गामिषव	गामिषमः , गामिषम

गम् +सिप् +आट् लेट् आर्धधातुके 11b. Vedic Potential Mood

गामि	singular	dual	plural
Third person	गामिषाति,गामिषात्/गामिषाद्	गामिषातः	गामिषान्ति , गामिषान्
Second person	गामिषासि , गामिषाः	गामिषाथः	गामिषाथ
First person	गामिषामि , गामिषाम्	गामिषावः ,गामिषाव	गामिषामः , गामिषाम

1472. डुकृञ् करणे । डुकृञ् । कृ । करोति, कुरुते । U । अनिट् । स० । to do, make, perform

This Root has both Parasmaipada and Atmanepada Verb forms.

Parasmaipada Verb forms

कृ लट् 1. Present Tense Active Voice

	singular	dual	plural
Third person	करोति	कुरुतः	कुर्वन्ति
Second person	करोषि	कुरुथः	कुरुथ
First person	करोमि	कुर्वः	कुर्मः

कृ लङ् 2. Imperfect Past Tense

	singular	dual	plural
Third person	अकरोत्	अकुरुताम्	अकुर्वन्
Second person	अकरोः	अकुरुतम्	अकुरुत
First person	अकरवम्	अकुर्व	अकुर्म

कृ लोट् 3. Imperative Mood

	singular	dual	plural
Third person	करोतु , कुरुतात्	कुरुताम्	कुर्वन्तु
Second person	कुरु , कुरुतात्	कुरुतम्	कुरुत
First person	करवाणि	करवाव	करवाम

कृ विधिलिङ् 4. Potential Mood

	singular	dual	plural
Third person	कुर्यात्	कुर्याताम्	कुर्युः
Second person	कुर्याः	कुर्यातम्	कुर्यात
First person	कुर्याम्	कुर्याव	कुर्याम

कृ　　　　　लृट् 5. Simple Future Tense (2nd Future Tense)

	singular	dual	plural
Third person	करिष्यति	करिष्यतः	करिष्यन्ति
Second person	करिष्यसि	करिष्यथः	करिष्यथ
First person	करिष्यामि	करिष्यावः	करिष्यामः

कृ　　　　　लृङ् 6. Conditional Mood

	singular	dual	plural
Third person	अकरिष्यत्	अकरिष्यताम्	अकरिष्यन्
Second person	अकरिष्यः	अकरिष्यतम्	अकरिष्यत
First person	अकरिष्यम्	अकरिष्याव	अकरिष्याम

कृ　　　　　लुट् 7. Periphrastic Future Tense (1st Future Tense)

	singular	dual	plural
Third person	कर्ता	कर्तारौ	कर्तारः
Second person	कर्तासि	कर्तास्थः	कर्तास्थ
First person	कर्तास्मि	कर्तास्वः	कर्तास्मः

कृ　　　　　आशीर्लिङ् 8. Benedictive Mood

	singular	dual	plural
Third person	क्रियात्	क्रियास्ताम्	क्रियासुः
Second person	क्रियाः	क्रियास्तम्	क्रियास्त
First person	क्रियासम्	क्रियास्व	क्रियास्म

कृ　　　　　लिट् 9. Perfect Past Tense

	singular	dual	plural
Third person	चकार	चक्रतुः	चक्रुः
Second person	चकर्थ	चक्रथुः	चक्र
First person	चकार , चकर	चकृव	चकृम

कृ लुङ् 10. Aorist Past Tense

	singular	dual	plural
Third person	अकार्षीत्	अकार्ष्टाम्	अकार्षुः
Second person	अकार्षीः	अकार्ष्टम्	अकार्ष्ट
First person	अकार्षम्	अकार्ष्व	अकार्ष्म

The लेट् verb forms given may not be accurate, as it is rare.

कृ + अट्   लेट् सार्वधातुके 11a. Vedic Potential Mood

	singular	dual	plural
Third person	कुर्वति , कर्वत् /कर्वद्	कर्वतः	कुर्वन्ति , कुर्वन्
Second person	कर्वसि , कर्वः	कर्वथः	कर्वथ
First person	कर्वमि , कर्वम्	कर्ववः , कर्वव	कर्वमः , कर्वम

कृ + आट्   लेट् सार्वधातुके 11a. Vedic Potential Mood

	singular	dual	plural
Third person	कुर्वाति , कर्वात् /कर्वाद्	कर्वातः	कर्वान्ति , कर्वान्
Second person	कर्वासि , कर्वाः	कर्वाथः	कर्वाथ
First person	कर्वामि , कर्वाम्	कर्वावः , कर्वाव	कर्वामः , कर्वाम

7.2.70 ऋद्धनोः स्ये । Hence इडागम does not occur here.

कृ + सिप् +अट्   लेट् आर्धधातुके 11b. Vedic Potential Mood
कर्ष

	singular	dual	plural
Third person	कर्षति, कर्षत् /कर्षद्	कर्षतः	कर्षन्ति , कर्षन्
Second person	कर्षसि , कर्षः	कर्षथः	कर्षथ
First person	कर्षमि , कर्षम्	कर्षवः , कर्षव	कर्षमः , कर्षम

कृ + सिप् +आट्   लेट् आर्धधातुके 11b. Vedic Potential Mood

कर्ष

	singular	dual	plural
Third person	कर्षाति, कर्षात् /कर्षाद्	कर्षातः	कर्षान्ति , कर्षान्
Second person	कर्षासि , कर्षाः	कर्षाथः	कर्षाथ
First person	कर्षामि , कर्षाम्	कर्षावः , कर्षाव	कर्षामः , कर्षाम

3.1.34 सिब्बहुलं लेटि । सिब्बहुलं छन्दसि णिद्वक्तव्यः । A vartika to this sutra gives additional लेट् verb forms by 7.2.115 अचो ञ्णिति ।

7.2.70 ऋद्धनोः स्ये । Hence इडागम does not occur here.

कृ + सिप् +अट्   लेट् आर्धधातुके 11b. Vedic Potential Mood

कार्ष

	singular	dual	plural
Third person	कार्षति, कार्षत् /कार्षद्	कार्षतः	कार्षन्ति , कार्षन्
Second person	कार्षसि , कार्षः	कार्षथः	कार्षथ
First person	कार्षमि , कार्षम्	कार्षवः , कार्षव	कार्षमः , कार्षम

कृ + सिप् +आट्   लेट् आर्धधातुके 11b. Vedic Potential Mood

कार्ष

	singular	dual	plural
Third person	कार्षाति, कार्षात् /कार्षाद्	कार्षातः	कार्षान्ति , कार्षान्
Second person	कार्षासि , कार्षाः	कार्षाथः	कार्षाथ
First person	कार्षामि , कार्षाम्	कार्षावः , कार्षाव	कार्षामः , कार्षाम

1472. डुकृञ् करणे । डुकृञ् । कृ । करोति, कुरुते । U । अनिट् । स० । to do, make, perform

Atmanepada Verb forms

कृ लट् 1. Present Tense Active Voice

	singular	dual	plural
Third person	कुरुते	कुर्वाते	कुर्वते
Second person	कुरुषे	कुर्वाथे	कुरुध्वे
First person	कुर्वे	कुर्वहे	कुर्महे

कृ लङ् 2. Imperfect Past Tense

	singular	dual	plural
Third person	अकुरुत	अकुर्वाताम्	अकुर्वत
Second person	अकुरुथाः	अकुर्वाथाम्	अकुरुध्वम्
First person	अकुर्वि	अकुर्वहि	अकुर्महि

कृ लोट् 3. Imperative Mood

	singular	dual	plural
Third person	कुरुताम्	कुर्वाताम्	कुर्वताम्
Second person	कुरुष्व	कुर्वाथाम्	कुरुध्वम्
First person	करवै	करवावहै	करवामहै

कृ विधिलिङ् 4. Potential Mood

	singular	dual	plural
Third person	कुर्वीत	कुर्वीयाताम्	कुर्वीरन्
Second person	कुर्वीथाः	कुर्वीयाथाम्	कुर्वीध्वम्
First person	कुर्वीय	कुर्वीवहि	कुर्वीमहि

कृ लृट् 5. Simple Future Tense (2ⁿᵈ Future Tense)

	singular	dual	plural
Third person	करिष्यते	करिष्येते	करिष्यन्ते
Second person	करिष्यसे	करिष्येथे	करिष्यध्वे
First person	करिष्ये	करिष्यावहे	करिष्यामहे

कृ लृङ् 6. Conditional Mood

	singular	dual	plural
Third person	अकरिष्यत	अकरिष्येताम्	अकरिष्यन्त
Second person	अकरिष्यथाः	अकरिष्येथाम्	अकरिष्यध्वम्
First person	अकरिष्ये	अकरिष्यावहि	अकरिष्यामहि

कृ लुट् 7. Periphrastic Future Tense (1ˢᵗ Future Tense)

	singular	dual	plural
Third person	कर्ता	कर्तारौ	कर्तारः
Second person	कर्तासे	कर्तासाथे	कर्ताध्वे
First person	कर्ताहे	कर्तास्वहे	कर्तास्महे

कृ आशीर्लिङ् 8. Benedictive Mood

	singular	dual	plural
Third person	कृषीष्ट	कृषीयास्ताम्	कृषीरन्
Second person	कृषीष्ठाः	कृषीयास्थाम्	कृषीढ्वम्
First person	कृषीय	कृषीवहि	कृषीमहि

कृ लिट् 9. Perfect Past Tense

	singular	dual	plural
Third person	चक्रे	चक्राते	चक्रिरे
Second person	चकृषे	चक्राथे	चकृढ्वे
First person	चक्रे	चकृवहे	चकृमहे

कृ लुङ् 10. Aorist Past Tense

	singular	dual	plural
Third person	अकृत	अकृषाताम्	अकृषत
Second person	अकृथाः	अकृषाथाम्	अकृढ्वम्
First person	अकृषि	अकृष्वहि	अकृष्महि

The लेट् verb forms given may not be accurate, as it is rare.

कृ + अट् लेट् सार्वधातुके 11a. Vedic Potential Mood

	singular	dual	plural
Third person	कुर्वते , कर्वतै	करवैते	कुर्वते
Second person	कर्वथे , कर्वथै	करवैथे	कर्वध्वे , कर्वध्वै
First person	कर्वे , कर्वै	कर्वावहे , कर्वावहै	कर्वामहे , कर्वामहै

कृ + आट् लेट् सार्वधातुके 11a. Vedic Potential Mood

	singular	dual	plural
Third person	कुर्वाते , कर्वातै	करवैते	कर्वतै
Second person	कुर्वाथे , कर्वाथै	करवैथे	कर्वाध्वे , कर्वाध्वै
First person	कर्वै	करवावहै	करवामहै

कृ +सिप् + अट् लेट् आर्धधातुके 11b. Vedic Potential Mood
कर्ष

	singular	dual	plural
Third person	कर्षते , कर्षतै	कर्षाते , कर्षातै	कर्षन्ते , कर्षन्तै
Second person	कर्षसे , कर्षसै	कर्षाथे , कर्षाथै	कर्षध्वे , कर्षध्वै
First person	कृषे , कृषै	कर्षवहे , कर्षवहै	कर्षमहे , कर्षमहै

कृ +सिप् + आट् लेट् आर्धधातुके 11b. Vedic Potential Mood

कर्ष	singular	dual	plural
Third person	कर्षाते , कर्षातै	कृषाते	कर्षान्ते , कर्षान्तै
Second person	कर्षासे , कर्षासै	कृषाथे	कर्षाध्वे , कर्षाध्वै
First person	कृषे , कृषै	कर्षावहे , कर्षावहै	कर्षामहे , कर्षामहै

3.1.34 सिब्बहुलं लेटि । सिब्बहुलं छन्दसि णिद्वक्तव्यः । A vartika to this sutra gives additional लेट् verb forms by 7.2.115 अचो ञ्णिति ।

कृ +सिप् + अट् लेट् आर्धधातुके 11b. Vedic Potential Mood

कार्ष	singular	dual	plural
Third person	कार्षते , कार्षतै	कार्षाते , कार्षातै	कार्षन्ते , कार्षन्तै
Second person	कार्षसे , कार्षसै	कार्षाथे , कार्षाथै	कार्षध्वे , कार्षध्वै
First person	कार्षे , कार्षै	कार्षवहे , कार्षवहै	कार्षमहे , कार्षमहै

कृ +सिप् + आट् लेट् आर्धधातुके 11b. Vedic Potential Mood

कार्ष	singular	dual	plural
Third person	कार्षाते , कार्षातै	कृषातै	कार्षान्ते , कार्षान्तै
Second person	कार्षासे , कार्षासै	कृषाथै	कार्षाध्वे , कार्षाध्वै
First person	कार्षे , कार्षै	कार्षावहे , कार्षावहै	कार्षामहे , कार्षामहै

Relevant Ashtadhyayi Sutras

In the Verb Conjugation Tables for Dhatus, some of the relevant Ashtadhyayi Sutras that get applied in the derivation of Dhatus to Verbs are given. This will help in a strong understanding of the Grammar of the Sanskrit Language.

1.1.5	क्ङिति च । इति गुणः निषेध।
1.1.6	दीधीवेवीटाम् । दीधीङ् , वेवीङ् धातोः तथा इडागमस्य इक्-वर्णः तस्य गुणवृद्धी न भवति ।
1.1.9	तुल्यास्यप्रयत्नं सवर्णम् ।
1.1.20	दाधा घ्वदाप् । अदाप् इति घु संज्ञा निषेधः । दा-रूपाः, धा-रूपाः च धातवः घु संज्ञकाः , किन्तु दाप् , दैप् धातुः वर्जयित्वा ।
1.1.26	क्तक्तवतू निष्ठा ।
1.1.47	मिदचोऽन्त्यात्परः । यः मित् अस्ति, सः अच्-वर्णेषु अन्त्यात् परः आयाति, अपि च अयं मित् यस्य वर्ण-समुदायस्य, तस्य अन्तिमावयवो भवति । इति श्नम् मित् विकरणः व्यवस्था ।
1.1.51	उरण् रपरः । ऋकारस्य अ, इ, उ एते आदेशाः रपराः एव ।
1.1.52	अलोऽन्त्यस्य ।
1.1.57	अचः परस्मिन् पूर्वविधौ । निमित्तापायपरिभाषा । निमित्तापाये नैमित्तिकस्याप्यपायः इति न्यायेन ण् न् । इति न्यायेन ट् त् ।
1.1.58	न पदान्तद्विर्वचनवरेयलोपस्वरसवर्णानुस्वारदीर्घजश्चर्विधिषु ।
1.1.61	प्रत्ययस्य लुक्श्लुलुपः । प्रत्ययस्य अदर्शनम् लुक्-संज्ञया, श्लु-संज्ञया, लुप्-संज्ञया च ।
1.2.1	गाङ्कुटादिभ्यः अञ्णित् ङित् । इति अञित् अणित् प्रत्यये परतः गुणः निषेधः । म० 1.2.1 महाभाष्ये नूत्वा धूत्वा । इति निष्ठा इट् निषेधः ।
1.2.19	निष्ठा शीङ्स्विदिमिदिक्ष्विदिधृषः । इति अकित् इति गुणः । शीङ् स्विद् मिद् क्ष्विद् धृष् धातुभ्यः सेट्-निष्ठाप्रत्ययः अकित् । इति गुणः ।
1.2.2	विज इट् । इट् आदि प्रत्यये ङित् , इति गुणः निषेधः ।
1.2.3	विभाषोर्णोः । इति इट् विकल्पेन ङिद्वत् । इति ङित्वपक्षे उवङ् ।

1.2.4 सार्वधातुकमपित् ।

1.2.20 मृषस्तितिक्षायाम् । मृष् धातोः तितिक्षायाम् अर्थे निष्ठायाः अकित् । इति गुणः । काशिका – अपमृषितं वाक्यम् आह ।

1.2.21 उदुपधाद्भावादिकर्मणोरन्यतरस्याम्। इति सेट् निष्ठायाः वा अकित् इति गुणः । वा० शब्विकरणेभ्य एवेष्यते । In conjunction with Sutras 3.3.114, 3.4.71 it applies to affix क्त and not to affix क्तवत्

1.2.26 रलो व्युपधाद्धलादेः संश्च ।

1.3.1 भूवादयो धातवः ।

1.3.3 हलन्त्यम् । उपदेशे अन्त्यम् हल् इत् ।

1.3.7 चुटू । इति “ङ” प्रत्ययः ।

1.3.8 लशक्वतद्धिते । इति “य” प्रत्ययः ।

1.3.44 अपह्नवे ज्ञः ।

1.3.60 शदेः शितः । शद्लृ शातने परस्मैपदी, तस्मात् आत्मनेपदं विधीयते शिति परतः।

1.3.61 म्रियतेर्लुङ् लिङोश्च ।

1.3.66 भुजोऽनवने । इति नवने अपालने अर्थे वर्तमानात् आत्मनेपदं ।

1.3.72 स्वरितञितः कर्त्रभिप्राये क्रियाफले ।

1.3.76 अनुपसर्गाज्ज्ञः । अनुपसर्गात् जानातेः कर्त्रभिप्राये क्रियाफले आत्मनेपदं ।

1.3.78 शेषात् कर्तरि परस्मैपदम् ।

1.3.92 वृद्भ्यः स्यसनोः । वृतादिभ्यः स्य अथवा सन् परे परस्मैपदं वा ।

1.3.93 लुटि च क्लृपः ।

2.1.24 द्वितीया श्रितातीतपतितगतात्यस्तप्राप्तापन्नैः । इत्यत्र पतितेति निपातनात् 7.2.15 इत्यस्य अनित्यत्वं कुत्रचित् बोध्यते । तेन अत्रापि निष्ठायां तनितम् इति भवति इति प्रक्रियासर्वस्वे ।

2.3.52 अधीगर्थदयेशां कर्मणि ।

2.3.56 जासिनिप्रहणनाटक्राथपिषां हिंसायाम् । इति क्राथ निपातनम् ।

2.3.72 तुल्यार्थैरतुलोपमाभ्यां तृतीयाऽन्यतरस्याम् ।

2.4.31 अर्धर्चाः पुंसि च । Gives list of words from Ganapatha that take masculine and neuter forms. In the Ganapatha we see बुस्त ।इति पाठात् निष्ठायाम् अनिट्त्वम्।

2.4.36 अदो जग्धिर्ल्यप्ति किति इति जग्ध् आदेशः ।

2.4.37 लुङ्सनोर्घसॢ । 2.4.40 लिट्यन्यतरस्याम् । आशीर्लिङि प्रयोगे नास्ति। 715 घसॢ अदने। Not a Root that takes all Affixes, since it is a replacement for 1011 अद भक्षणे This Root is not used in Blessing Mood.

2.4.40 लिट्यन्यतरस्याम् ।

2.4.52 अस्तेर्भूः । इति धातोः भूः आदेशः भवति आर्धधातुके।

2.4.53 ब्रुवो वचिः । इति आर्धधातुके ब्रू स्थाने वच् आदेशः । लिटि उवाच शब्दः भगवद् गीते । gives वच् आदेशः for ब्रू for आर्धधातुक लकाराः । अयम् अन्ति परः न प्रयुज्ते । झि परः इत्यन्ये ।

2.4.54 चक्षिङः ख्याञ् । वा० सस्थानत्वं नमः ख्यात्रे इति वक्तव्यम् । इति सार्वधातुकस्य लकारे प्रयोगः।

2.4.56 अजेर्व्यघञपोः । इति वी आदेशः । वा० वलादार्थधातुके वेष्यते इति वी आदेशः विकलपः ।

2.4.72 अदिप्रभृतिभ्यः शपः । इति शप् लुक् ।

2.4.73 बहुलं छन्दसि । छन्दसि विषये शपः लुक् ।

2.4.75 जुहोत्यादिभ्यः श्लुः। इति शप् श्लुः ।

3.1.6 मान्बधदान्शान्भ्यो दीर्घश्चाभ्यासस्य । वा० अत्रापि सन्नर्थे विशेष इष्यते । बधेश्चित्तविकारे , नित्यं सन् , अभ्यासेकारस्य इकारः दीर्घः च ।

3.1.25 सत्यापपाशरूपवीणातूलश्लोकसेनालोमत्वचवर्मवर्णचूर्णचुरादिभ्यो णिच् । इति स्वार्थे णिच् ।

3.1.28 गुपूधूपविच्छि० इति स्वार्थे आयः ।

3.1.30 कमेर्णिङ् इति स्वार्थे णिङ् इति वृद्धिः ।

3.1.31 आयादय आर्धद्धातुके वा ।

3.1.32 सनाद्यन्ता धातवः ।

3.1.41 विदाङ्कुर्वन्त्वित्यन्यतरस्याम् । इति विदेः लोटि आम् प्रत्ययः, गुणाभावः, लोटो लुक्, कृञश्च लोट्परस्य अनुप्रयोगः विकल्पेन।

3.1.55 पुषादिद्युताद्यॢदितः परस्मैपदेषु । अयं ॡदित् ।

3.1.57 इरितो वा । इति इरित् इर् इत् संज्ञा ।

3.1.68 कर्त्तरि शप् ।

3.1.69 दिवादिभ्यः श्यन् ।

3.1.70 वा भ्राशभ्लाशभ्रमुक्रमुक्लमुत्रसित्रुटिलषः । इति वा श्यन् । पक्षे औत्सर्गिकः 3.1.68 कर्त्तरि शप् , इति शप् । कर्त्तरि सार्वधातुके भ्राश-भ्लाश-भ्रमु-क्रमु-क्लमु-त्रसि-त्रुटि-लषः धातोः परः श्यन् वा।

3.1.71 यसोऽनुपसर्गात् । कर्त्तरि सार्वधातुके प्रत्यये परे अनुपसर्गात् यस्-धातोः श्यन् विकल्पेन । पक्षे शप् ।

3.1.73 स्वादिभ्यः श्नुः।

3.1.74 श्रुवः शृ च । इति शप् परतः ।

3.1.75 अक्षोऽन्यतरस्याम् इति वा श्नु ।

3.1.76 तनूकरणे तक्षः इति वा श्नु ।

3.1.77 तुदादिभ्यः शः ।

3.1.78 रुधादिभ्यः श्नम् ।

3.1.79 तनादिकृञ्भ्य उः । इति "उ" गणविकरणः ।

3.1.80 धिन्विकृण्व्योर च । अकारः अन्तादेशः तथा उ विकरणः शपि परतः ।

3.1.81 क्र्यादिभ्यः श्ना ।

3.1.82 स्तम्भुस्तुम्भुस्कम्भुस्कुम्भुस्कुञ्भ्यः श्नुश्च । स्तम्भु स्तुम्भु स्कम्भु स्कुम्भु रोधन इत्येके । प्रथमतृतीयौ स्तम्भे इति माधवः । द्वितियो निष्कोषणे । चतुर्थो धारण इत्यन्ये । चत्वार इमे परस्मैपदिनः सौत्राश्च ।

3.1.83 हलः श्नः शानज्झौ ।

3.2.68 अदोऽनन्ने ।

3.2.187 ञीतः क्तः । ञीत् (ञि इत्) धातोः वर्तमाने अर्थे क्त प्रत्ययः । Purpose of the initial ञीत् tag letter used in Roots is defined here. Note ञि इत् is different from ञ् इत् = ञित् used to specify an Ubhayepadi Dhatu.

3.3.88 ड्वितः क्त्रिः । Defines the reason for initial डु tag letter.

3.3.89	ट्वितोऽथुच् । टु इत् यस्य, तस्मात् ट्वितो धातोः अथुच् प्रत्ययः ।
3.3.104	षिद्भिदादिभ्योऽङ् । षित् -भ्यः भिदादिभ्यश्च स्त्रियाम् अङ् प्रत्ययः ।
3.3.114	नपुंसके भावे क्तः । In the sense of Impersonal usage, Affix क्त is used (and not क्तवत्)
3.4.71	अदिकर्मणि क्तः कर्तरि च । In the sense of Beginning-of-Action Affix क्त is used (and not क्तवत्)
3.4.83	विदो लटो वा । विद: लट: लस्य परस्मैपदानां णल्-अतुस्-उस्-थल्-अथुस्-अ-णल्-व-मा: वा ।
3.4.84	ब्रुवः पञ्चानामादित आहो ब्रुवः । इति लट् लकारे तिप् तस् झि सिप् थस् प्रत्यय स्थाने क्रमशः णल् अतुस् उस् थल् अथुस् आदेशः विकल्पेन भवति तथा ब्रू स्थाने आह् आदेशः भवति ।
3.4.87	सेर्ह्यपिच्च । इति लोट्-लकारस्य सिप्-प्रत्ययस्य अपित्-"हि" आदेशः ।
3.4.109	सिजभ्यस्तविदिभ्यः च । इति सिच्-अभ्यस्त-विदिभ्य: ङित: झे: जुस् । (अन् उः) This modifies the Parasmayepadi affix for use with Reduplicated Roots. Applies to लङ् Parasmayepadi iii/3 affix
3.4.111	लङः शाकटायनस्यैव । इति झि प्रत्यये विकल्पेन जुस् आदेशः ।
3.4.113	तिङ्शित् सार्वधातुकम् ।
3.4.114	आर्धधातुकं शेषः ।
3.4.118	द्विषश्च इति वा जुस् ।
4.1.22	अपरिमाणबिस्ताचितकम्बल्येभ्यो न तद्धितलुकि । It shows usage of बिस्त only. So according to Madhviya Dhatuvritti, "अत एव बिस्तेति निर्देशाद्वा निष्ठायामनिट्त्वम् ।
4.4.85	अन्नाण्णः । इति न जग्ध् आदेशः।
6.1.1	एकाचो द्वे प्रथमस्य । इति यावत्सु सूत्रेषु यत् द्वित्वं विधीयते, तत् द्वित्वं धातोः प्रथमस्य एकाच्-अवयवस्य भवति । States that reduplication occurs on the first syllable of the Root.
6.1.2	अजादेर्द्वितीयस्य । द्वित्वम् अनेकाच्-अजादि-शब्दस्य द्वितीय-एकाच्-अवयवस्य । For multisyllable Roots, the Reduplication happens for the 2nd syllable.

6.1.4 पूर्वोऽभ्यासः । इत्यनेन द्वित्वे कृते द्वयोः यः प्रथमः, तस्य "अभ्यास" संज्ञा । यस्य धातोः द्वित्वं कृतं नास्ति, तादृशः धातुः "अनभ्यासः धातुः" । अस्य धातोः श्लौ-परे द्वित्वं भवति । States that the initial portion of reduplicated Root is named अभ्यासः , thus the इकार happens for the initial portion.

6.1.5 उभे अभ्यस्तम् । अस्मिन् द्वित्वप्रकरणे ये द्वे विहिते, तयोः द्वयोः मिलित्वा "अभ्यस्त" इति संज्ञा भवति । States that the collective reduplicated portion of Root is named अभ्यस्तम्। These definitions will in turn be used in any sutra accordingly.

6.1.6 जक्षित्यादयः षट् ।

6.1.10 श्लौ । श्लौ परे यस्य धातोः द्वित्वम् न कृतम् अस्ति तस्य (यथानिर्दिष्टम्) द्वित्वं भवति । States that Roots taking शप् श्लुः i.e. all 3c Roots, shall take Reduplication for the Lakaras where शप् श्लुः happens, i.e. in लट् , लोट् , लङ् , विधि लिङ् ।

6.1.15 वचिस्वपियजादीनां किति । इति सम्प्रसारणं कित् परे ।

6.1.16 ग्रहिज्यावयिव्यधिवष्टिविचतिवृश्चतिपृच्छतिभृज्जतीनां ङिति च । इति कित् ङित् परे सम्प्रसारणम् । ग्रह् , ज्या, वेञो वयिः, व्यध् , वश् , व्यच् , ओव्रश्चू , प्रच्छ् , भ्रस्ज् इत्येतेषां धातूनां ङित् कित् प्रत्यये परतः सम्प्रसारणं । इति रेफस्य ऋकारः ।

6.1.22 स्फायः स्फी निष्ठायाम् ।

6.1.27 शृतं पाके । इति क्त प्रत्यये परतः श्रास्य शृ आदेशः ।

6.1.28 प्यायः पी । इति अनुपसर्गात् नित्य पी आदेशः ।

6.1.37 न सम्प्रसारणे सम्प्रसारणम् । सम्प्रसारने परतः पूर्वस्य यणः सम्प्रसारणं न । इति य् इ , किन्तु व् उ न । इति र् ऋ , किन्तु व् उ न ।

6.1.45 आदेच उपदेशेऽशिति । एजन्तः यः धातुः उपदेशे तस्य आकारादेशः , किन्तु शिति प्रत्यये परतः न ।

6.1.47 स्फुरतिस्फुलत्योः घञि ।

6.1.50 मीनातिमिनोतिदीङां ल्यपि च । मीञ् डुमिञ् दीङ् इत्येतेषं धातूनां ल्यपि विषये, एच् विषये च उपदेशे एव प्राक् प्रत्ययोत्पत्तेः अलोऽन्यस्य स्थाने आकारः आदेशः । इति लृटि , दी guna दे ,

तस्य दा ।

6.1.51 विभाषा लीयतेः । ली, लीङ् धात्वोः ल्यपि विषये, एच् विषये च उपदेशे एव प्राक् प्रत्ययोत्पत्तेः अलोऽन्यस्य स्थाने आकारः आदेशः विकल्पेन । इति लृटि , ली guna ले , तस्य ला विकल्पेन ।

6.1.54 चिस्फुरोर्णौ । चिञ् स्फुर इत्येतयोः धात्वोः णौ परतः एचः स्थाने विभाषा आकारादेशः ।

6.1.58 सृजिदृशोर्झल्यमकिति । सृज विसर्गे, दृशिर् प्रेक्षणे इत्येतयोः धात्वोः झलादि अकिति प्रत्यये परतः अम् आगमः ।

6.1.59 अनुदात्तस्य चर्दुपधस्यान्यतरस्याम् । उपदेशे अनुदात्तस्य धातोः ऋकारोपधस्य झलादि अकिति प्रत्यये परतः अन्यतरस्याम् अमागमः । इति विकल्पेन अम् आगमः अकित् झलादि प्रत्यये परतः।

6.1.64 धात्वादेः षः सः । "निमित्तापाये नैमित्तिकस्याप्यपायः" इति न्यायेन टकारस्य तकारः । इति न्यायेन णकारस्य नकारः , टकारस्य तकारः । वा० सुब्धातु-ष्ठिवु-ष्वष्कादिनां सत्वप्रतिषेधः वक्तव्यः ।

6.1.65 णो नः । इति णस्य नकारः ।

6.1.66 लोपो व्योर्वलि । इति यकारस्य लोपः ।

6.1.68 हल्ङ्याब्भ्यो दीर्घात् सुतिस्यपृक्तं हल् । दीर्घात् हल्-ङी-आब्भ्यः सु-ति-सि-अपृक्तम् हल् लोपः । इति लङ् विषये iii/1 त् , ii/1 स् प्रत्यय लोपः , हलन्तात् अङ्गस्य परतः ।

6.1.73 छे च । इति तुँक् आगमः । ह्रस्वः स्वरस्य संहितायां छकारे परे तुक् आगमः । 8.4.40 स्तोः श्चुना श्चुः इति चकार । Some sutras apply in conjunction. This adds तकारः and then changes it to चकारः (when छकारः follows).

6.1.77 इको यणचि । इति यण् । इति सृज् => सृ अम् ज् => सृ अ ज् => स् र् अ ज् = स्रज् ।

6.1.78 एचोऽयवायावः । एच् वर्णानाम् अच् परे यथासङ्ख्यम् अय्-अव्-आय्-आव् एते आदेशाः ।

6.1.87 आद्गुणः ।

6.1.88 वृद्धिरेचि । अवर्णात् परस्य एच्-वर्णे परे पूर्वपरयोः एकः वृद्धि-एकादेशः ।

6.1.89 एत्येधत्यूठ्सु । इति वृद्धिः ।

6.1.96 उस्यपदान्तात् । अपदान्त-अवर्णात् "उस्" शब्दे परे पूर्वपरयोः एकः पररूप-एकादेशः ।

6.1.97 अतो गुणे । अपदान्त-अकारात् गुणे परे पूर्वपरयोः एकः पररूप-एकादेशः ।

6.1.101 अकः सवर्णे दीर्घः ।

6.1.108 सम्प्रसारणाच्च । सम्प्रसारणात् अनन्तरम् पूर्वपरयोः एकः पूर्ववर्णः आदेशः । इति पूर्वरूप–सन्धिः । इति इ + अ –> इ ।

6.3.111 ढ्रलोपे पूर्वस्य दीर्घोऽणः । इति द्रु द्रू ।

6.3.112 सहिवहोरोदवर्णस्य । ढकारलोपः कृते सह् , वह् धातोः च अवर्णस्य ओकारादेशः ।

6.4.2 हलः ।

6.4.15 अनुनासिकस्य क्विझलोः क्ङिति । अनुनासिकान्तस्य अङ्गस्य उपधावर्णस्य क्विप् , झलादि-कित् , झलादि-ङित्-प्रत्यये परे दीर्घादेशः ।

6.4.19 च्छ्वोः शूडनुनासिके च । इति ऊठ् आदेशः । क्वि, झलादि कित् ङित् , तथा अनुनासिकः प्रत्यये परतः, च्छ् श् , व् ऊठ् ,आदेशः।

6.4.20 ज्वरत्वरश्रिव्यविमवामुपधायाश्च । ज्वर त्वर स्रिवि अव मव इत्येतेषाम् अङ्गानां वकारस्य उपधायाः च स्थाने ऊठ् इत्ययम् आदेशः , क्वौ परतः अनुनासिके झलादौ च क्ङिति।

6.4.21 राल्लोपः । इति रेफः परे छकारस्य वकारस्य च लोपः ।

6.4.22 असिद्धवदत्राभात् । अयम् अधिकारसूत्र । Any two sutras of this scope that have the same आश्रय are असिद्ध towards each other, so we should use accordingly to give the correct final word.

6.4.23 श्नान्नलोपः । श्नमः परस्य नस्य लोपः स्यात् । For 7c, Roots containing न् drop it, when facing श्नम् ।

6.4.24 अनिदितां हल उपधायाः क्ङिति । इति न् लोपः । अनिदित् हलन्तस्य अङ्गस्य उपधा नकारस्य कित् ङित् प्रत्यये परे लोपः । वा० शे तृम्फादीनां नुम्वाच्यः इति पुनः नुम् आगमः । अनुस्वारः परसवर्णः च ।

6.4.25 दंशसञ्जस्वञ्जां शपि । इति उपधा नकारस्य लोपः । Applies to Dhatu 989 दंश दशने by paribhasha सहचरितासहचरितयोः सहचरितस्यैव ग्रहणम् , not here.

6.4.26 रञ्जेश्च , इति शपि नलोपः ।

6.4.34 शास इदङ्हलोः । शास उपधाया इकारादेशः अङ् तथा हलादौ क्ङिति परतः।

6.4.35 शा हौ । शास् धातोः अङ्गस्य हि-प्रत्यये परे "शा" आदेशः ।

6.4.37 अनुदात्तोपदेशवनतितनोत्यादीनामनुनासिक लोपो झलि क्ङिति । उपदेशे अनुदात्त-अनुनासिक अङ्गस्य, वनति, तनोति आदिनाम् अङ्गस्य च, झलि क्ङिति परे, अनुनासिकस्य लोपः ।

6.4.42 जनसनखनां सञ्झलोः । जन सन खन इत्येतेषाम् अङ्गानां सनि–झलादौ क्ङिति–झलादौ च प्रत्यये परतः आकार आदेशः ।

6.4.43 ये विभाषा । यकारादि कित् ङित् प्रत्यये परतः जन् सन् खन् अङ्गानां विकल्पेन आकारः आदेशः ।

6.4.44 तनोतेर्यकि।तनोतेः यकि परतः नकारस्य विभाषा आकार आदेशः।

6.4.47 भ्रस्जो रोपधयोः रमन्यतरस्याम् । आर्धधातुके प्रत्यये परे भ्रस्ज्-धातोः रेफस्य तथा उपधावर्णस्य "रम्" इति आगमः विकल्पेन । इति भ्रस्ज् भर्ज् ।

6.4.48 अतो लोपः । अकारः drops, 1.1.57 अचः परस्मिन् पूर्वविधौ । However णिच् sees the अकारः and thus cannot cause guna/vriddhi. अक् प्रत्याहारस्य लोपः इति अग्लोपि ।

6.4.48 अतो लोपः । स्थानिवद्भावेन लघूपधागुणः निषेधः ।

6.4.51 णेरनिटि । अनिट् आर्धधातुके णेः लोपः । इति इकारः लोपः ।

6.4.52 निष्ठायां सेटि । निष्ठायाम् इट् परतः णेः लोपः।इति इकारः लोपः ।

6.4.52 निष्ठायां सेटि । तत्त्वबोधिनी = तनिपतिदरिद्रातिभ्यः सनो वा इड्वाच्यः इति वचनात् ।

6.4.60 निष्ठायां अण्यदर्थे । ण्यतः कृत्यस्य अर्थः भावकर्मणी, ताभ्याम् अन्यत्र या निष्ठा तस्यां क्षियो दीर्घः । इति उक्त्वत्वात् भावकर्मवाचिनि निष्ठाप्रत्यये दीर्घः न ।

6.4.61 वाऽऽक्रोशदैन्ययोः ।

6.4.64 आतो लोप इटि च । इट् आजादि आर्धधातुके क्ङिति च आकारान्तस्य अङ्गस्य लोपः । वा० दरिद्रातेरार्धधातुके विवक्षिते आलोपो वाच्यः ।

6.4.66 घुमास्थागापाजहातिसां हलि । घुसंज्ञाकानाम् अङ्गानां, मा स्था गा पा जहाति सा इत्येतेषां हलादौ क्ङिति प्रत्यये परतः

ईकारादेशः ।

6.4.72 आडजादीनाम् । इति आट् ।

6.4.77 अचि श्नुधातु-भ्रुवां य्वोरियङुवङौ । अजादिप्रत्यये परे श्नु-प्रत्ययान्त–अङ्गस्य, "भ्रू" इत्यस्य, तथा इवर्णान्त उवर्णान्त धातोः , इयङ् उवङ् आदेशौ । Since 6c gana vikarna is अ, it applies to all पुरुषः वचनः च। Does not apply to 8c since none of these Roots are उकारः ending. (Rather by the 8c उ gana vikarna, the Angas become उकारः ending, and this Sutra clearly states only 5c श्नु Anga qualifies for the same). Notes - In the case of guna - 6.4.106 didn't apply for लोट् ii/1 due to conjunct before उकारः । अर्णुहि । 6.4.107 didn't apply for लट् i/2, i/3 due to conjunct before उकारः । Also Note that the Sutra 6.4.77 does not apply for लट् iii/3 and लोट् iii/3, since अर्णु is not a Root, rather an Anga made by उ gana vikarnaOn the other hand in the case of non-guna, both sutras applied.अर्णुवः , अर्णुमः ।

6.4.78 अभ्यासस्यासवर्णे । इति गुणः इयङ् ।

6.4.81 इणो यण् । इति अजादि प्रत्यय परतः यण् । वा० इण्वदिक इति वक्तव्यम् । पक्षे इयङ् ।

6.4.82 एरनेकाचोऽसंयोगपूर्वस्य । धात्वन्त-अनेकाच्-अङ्गस्य धातोः असंयोगपूर्वस्य इवर्णस्य अजादिप्रत्यये परे यण्।

6.4.87 हुश्नुवोः सार्वधातुके । "हु" अङ्गस्य तथा अनेकाच् "श्नु" एतयोः असंयोगपूर्वस्य उवर्णस्य अजादि सार्वधातुके प्रत्यये परे यण् आदेशः । इति उकारस्य वकारः ।

6.4.92 मितां ह्रस्वः । मित्-धातूनाम् उपधायाः स्वरः ह्रस्वः भवति, णिच्-प्रत्यये परे । Also see गणसूत्र० घटादयः मितः ।

6.4.95 ह्लादो निष्ठायाम् ।

6.4.98 गमहनजनखनघसां लोपः क्ङित्यनङि । गम् हन् जन् खन् घस् एतेषां धातूनाम् उपधा , अजादौ कित् ङित् प्रत्यये परे लोपः , परन्तु "अङ्" प्रत्यये पर न भवति । इति ह ह् ।

6.4.100 घसिभसोर्हलि च । घसि भस इत्येतयोः उपधाया लोपः , लहादौ अजादौ च क्गिति प्रत्यये परे । इति अकारस्य लोपः ।

6.4.101	हुझल्भ्यो हेर्धिः । इति हु-धातोः परस्य तथा झलन्तात् परस्य "हि" प्रत्ययस्य "धि" आदेशः भवति ।
6.4.105	अतो हेः ।
6.4.106	उतश्च प्रत्ययादसंयोगपूर्वात् । असंयोगपूर्वः यः उकारः तदन्तात् प्रत्ययात् परस्य हि-प्रत्ययस्य लुक् भवति ।
6.4.107	लोपश्चास्यान्यतरस्यां म्वोः । असंयोगपूर्वः यः प्रत्ययान्तः उकारः तस्य मकारे वकारे च परे विकल्पेन लोपः ।
6.4.108	नित्यं करोतेः ।
6.4.109	ये च । कृ धातोः विहितः यः प्रत्ययान्तः उकारः तस्य यकारे परे नित्यं लोपः ।
6.4.110	अत उत् सार्वधातुके । उकारान्त-प्रत्ययः यस्य अन्ते अस्ति तादृशस्य कृ-धातोः अङ्गस्य अकारस्य कित् / ङित् प्रत्यये परे उकारादेशः ।
6.4.111	श्नसोरल्लोपः । श्नम्-विकरणस्य अस् धातोः च अङ्गस्य अकारस्य सार्वधातुके कित् ङित् प्रत्यये परे लोपः ।
6.4.112	श्नाऽभ्यस्तयोरातः । श्ना-विकरणस्य अभ्यस्तस्य च आकारस्य सार्वधातुके कित् ङित् प्रत्यये परे लोपः ।
6.4.113	ई हल्यधोः । इति आत् ईत्वम् हलादि अपित् प्रत्यये परतः , न तु घु संज्ञकस्य ।
6.4.114	इद् दरिद्रस्य । दरिद्रा धातोः आकारस्य हलादि-सार्वधातुके कित् ङित् प्रत्यये परे इकारादेशः ।
6.4.115	भियोऽन्यतरस्याम् । इति हलादि–अपित्–सार्वधातुक–प्रत्यये विकल्पेन इकारः ।
6.4.116	जहातेश्च । हा धातोः हलादि सार्वधातुके कित् ङित् प्रत्यये परे विकल्पेन इकारादेशः ।
6.4.117	आ च हौ ।हा धातोः "हि" प्रत्यये परे विकल्पेन इकारः आकारः च।
6.4.118	लोपो यि । हा धातोः अन्तिमवर्णस्य यकारादि प्रत्यये परे लोपः ।
6.4.119	घ्वसोरेद्धावभ्यासलोपश्च । "हि" प्रत्यये परे घु-संज्ञकधातूनाम् अङ्गस्य तथा अस्-धातोः एकारादेशः, अभ्यासस्य लोपः च ।
7.1.4	अदभ्यस्तात् । इति जक्षादि अभ्यस्तात् परस्य प्रत्ययस्य झकारस्य अत्-आदेशः । (अन्ति अति, अन्तु अतु) This modifies the Parasmayepadi affix for use with Reduplicated Roots

140

7.1.6 शीङो रुट् । इति झ् प्रत्ययस्य रुट् आगमः ।

7.1.58 इदितो नुम् धातोः । For 10c Roots, Siddhanta Kaumudi says इदित्करणं णिचः पाक्षिकत्वे लिङ्गम् । In conjunction 8.3.24 नश्चापदान्तस्य झलि, 8.4.58 अनुस्वारस्य ययि परसवर्णः । A नकारः is added and changed to Anusvara and then to corresponding nasal.

7.1.59 शे मुचादीनाम्। इति नुँम् आगमः।

7.1.60 मस्जिनशोर्झलि । मस्ज् नश् धात्वोः झलादि-प्रत्यये परे नुमागमः । वा० मस्जेरन्त्यात्पूर्वो नुम्वाच्यः । इति मस्न्ज् न तु मन्स्ज् ।

7.1.61 रधिजभोरचि इति नुम् आगमः अजादि प्रत्यये परे ।

7.1.100 ॠत इद्धातोः । ॠदन्तस्य धातोः अङ्गस्य ह्रस्व-इकारादेशः भवति किति ङिति प्रत्यये परे । इति कॄ कि (ॄ) । 1.1.51 उरण् रपरः । इति किर । वा० इत्त्वोत्त्वाभ्यां गुणवृद्धी विप्रतिषेधेन ।

7.1.101 उपधायाश्च । धातौ विद्यमानस्य उपधा-ॠकारस्य इकारादेशः । इ-आदेशः 1.1.51 उरण् रपरः इत्यनेन रपरः वर्तते ।

7.1.102 उदोष्ठ्यपूर्वस्य । इति ॠकारस्य उ ।

7.2.5 ह्म्यन्तक्षणश्वसजागृणिश्व्येदिताम् । हकारान्तानां मकारान्तानां यकारान्तानाम् अङ्गानाम्, क्षण श्वस जागृ णि श्वि इत्येतेषाम् , एदितां च इडादौ सिचि परस्मैपदे परतः वृद्धिः न । इति लुङ् परे वृद्धिः निषेधः ।

7.2.11 श्र्युकः किति । श्रि धातोः तथा उगन्त–धातूनां (उकारान्तः , ऊकारान्तः, ऋकारान्तः, ॠकारान्तः) किति परे इडागमः न भवति। उक् प्रत्याहारः ।

7.2.14 श्वीदितो निष्ठायाम् । टुओश्वि तथा ईदित् धातुनां निष्ठायाम् इडागमः न ।

7.2.15 यस्य विभाषा । इति विकल्पेन इडागमः विषये निष्ठायाम् इट् निषेधः ।

7.2.16 आदितश्च । आदित् धातोः निष्ठायाम् इडागमः न । In conjunction 7.2.17 विभाषा भावादिकर्मणोः । 3.3.114 नपुंसके भावे क्तः । 3.4.71 आदिकर्मणि क्तः कर्त्तरि च ।

7.2.17 विभाषा भावादिकर्मणोः । Optionally आदित् Roots do not take निष्ठा इट् आगमः । By extrapolation of 7.2.17 we have a निष्ठा इट् Form as well for क्त by 3.4.71 अदिकर्मणि क्तः

कर्तरि च । इति क्तवत् न ।

7.2.18 क्षुब्धस्वान्तध्वान्तलग्नम्लिष्टविरिब्धफाण्टबाढानि मन्थमनस्तमःसक्ताविस्पष्टस्वरानायासभृशेषु । इति निपातनात् इट् अभावः । निष्ठा तकारस्य नत्वं च सक्तम् इत्यर्थे ।

7.2.19 धृषिशसि वैयात्ये । In conjunction 7.2.56 उदितो वा , 7.2.15 यस्य विभाषा । इति निष्ठायाः इण्णिषेधः इति नियमात् शस्तो वृषलः , इति अविनीतार्थे एव इण्णिषेधः ।

7.2.20 दृढः स्थूलबलयोः । इति "दृढ" निपातनम् । एतत् च दृहिः प्रकृत्यन्तरम् अस्ति इति महाभाष्यः । वार्तिककारमते तु दृहि इति इदित् धातोः एव एतत् निपातनं, न तु अस्य।

7.2.21 प्रभौ परिवृढः । इति परिवृढ निपातनम् ।

7.2.22 कृच्छ्रगहनयोः कषः ।

7.2.23 घुषिरविशब्दने । विशब्दने अनिट् पक्षे सेट् ।

7.2.26 णेरध्ययने वृत्तम् ।

7.2.27 वा दान्तशान्तपूर्णदस्तस्पष्टच्छन्नज्ञप्ताः । णिजन्त दम् शम् पूरी दस् स्पश् छद् ज्ञप् इत्येतेषां धातूनां वा अनिट् निपात्यते । इट् प्रतिषेधो णिलुक् च निपात्यते । पक्षे 6.4.15 । न्यासः "मारणतोषणनिशामनेषु ज्ञा मिच्च" इति घटादिश्च, ततो णिच्।

7.2.28 रुष्यमत्वरसंघुषास्वनाम् । इति निष्ठायाः विकल्पेन इट् न । रुषि अम त्वर सङ्घुष आस्वन इत्येतेषां निष्ठायां वा इडागमः न । तत्त्वबोधिनी० अम गत्यादिषु । अम रोगे इति चौरादिकस्तु न गृह्यते, `एकाचः` इत्यधिकारादित्ययाहुः।

7.2.29 हृषेर्लोमसु । निष्ठायाः विकल्पेन इट् न । वा० विस्मितप्रतिघातयोश्च इति वचनात् निष्ठायाम् इट् विकल्पः।

7.2.31 ह्रु ह्वरेश्छन्दसि । 7.2.32 अपरिह्वृताश्च, 7.2.33 सोमे ह्वरितः । Vedic usages – Shukla Yajur Veda 1.9 अह्रुतमसि हविर्द्धानम्० । Without crookedness may you…

7.2.32 अपरिह्वृताश्च ।

7.2.33 सोमे ह्वरितः ।

7.2.34 ग्रसितस्कभितस्तभितोत्तभितचत्तविकस्ता विशस्तृशंस्तृशास्तृतरुतृतरूतृवरुतृवरूतृवरूत्रीरुज्ज्वलितिक्षरितिक्ष मितिवमित्यमितीति च । इति वेद-विषये ग्रसित निपातनम् ।

7.2.37 ग्रहोऽलिटि दीर्घः ।

7.2.38 वॄतो वा । वृङ् वृञ् धातुभ्यां तथा ॠकारान्त धातुभ्यः इट् विकल्पेन दीर्घः , लिट् भिन्न वलादिः आर्धधातुके परे । इति वा दीर्घः । वृङ्वृञ्भ्याम् ॠदन्ताः च इट् दीर्घः वा स्यान्न तु लिटि ।

7.2.44 स्वरतिसूतिसूयतिधूञूदितो वा । स्वरति सूति सूयति धूञित्येतेभ्यः, ऊदित् धातुभ्यः च उत्तरस्य वलादेः आर्धधातुकस्य वा इडागमः । इति वेट् ।

7.2.45 रधादिभ्यश्च । एतेषां अष्ट धातूनां उत्तरस्य वलादेः आर्धधातुकस्य विकल्पेन इडागमः । इति वेट् ।

7.2.46 निरः कुषः ।

7.2.47 इण्निष्ठायाम् ।

7.2.48 तीषसहलुभरुषरिषः । इष् सह् लुभ रुष् रिष् इत्येतेभ्यः तकारादि आर्धधातुके परे वा इडागमः ।

7.2.49 सनीवन्तर्धभ्रस्जदम्भुश्रिस्वृयूर्णुभरज्ञपिसनाम् । एतेषां धातुभ्यः सन् प्रत्यये विकल्पेन इडागमः ।

7.2.50 क्लिशः क्त्वानिष्ठयोः । क्लिशः क्त्वानिष्ठ्योः वा इडागमः ।

7.2.52 वसतिक्षुधोरिट् । वस् क्षुध् धात्वोः क्त्वा निष्ठा परे इडागमः ।

7.2.54 लुभो विमोहने ।लुभ् विमोहने अर्थे वर्तमानात् क्त्वानिष्ठयोः इडागमः।

7.2.56 उदितो वा । इति विकल्पेन इट् । उदित् धातुभ्यः क्त्वा प्रत्यये परतः विकल्पेन इडागमः । 7.2.15 यस्य विभाषा ।

7.2.57 सेऽसिचि कृतचृतच्छृदतृदनृतः । सकारादि असिचि आर्धधातुके कृत चृत छृद तृद नृत इत्येतेभ्यः धातुभ्यः वा इडागमः ।

7.2.59 न वृद्भ्यश्चतुर्भ्यः । वृतादिभ्यः चतुर्भ्यः उत्तरस्य सकारादेः आर्धधातुकस्य परस्मैपदेषु इडगमः न ।

7.2.60 तासि च क्लृपः । कृप उत्तरस्य तासेः सकारादेः च आर्धधातुकस्य परस्मैपदेषु इडागमः न । 7.2.15

7.2.68 विभाषा गमहनविदविशाम् । गम हन विद विश इत्येतेषां धातूनां वसौ विभाषा इडागमः ।

7.2.70 ऋद्धनोः स्ये । इति इट् । ऋकारान्तानां धातूनां हन्तेः च स्ये परे इडागमः ।

7.2.76 रुदादिभ्यः सार्वधातुके । इति रुदादिभ्यः पञ्च धातुभ्यः वलादि सार्वधातुके इट् आगमः ।

7.2.114 मृजेर्वृद्धिः । मृज्-धातोः अङ्गस्य इक्-वर्णस्य वृद्धिः भवति । वा० क्ङित्यजादौ वेष्यते। इति विकल्पेन अन्ति प्रत्ययस्य वृद्धिः ।

7.2.115 अचो ञ्णिति ।

7.2.116 अत उपधायाः। उपधायाम् अतः वृद्धिः ञिति णिति प्रत्यये परे।

7.3.36 अर्त्तिह्रीब्लीरीक्नूयीक्ष्माय्यातां पुङ्णौ । इति पुक् आगमः । अर्ति ह्री ब्ली री क्नूयी क्ष्मायी इत्येतेषाम् अङ्गानाम् आकारान्तानां च पुगागमो भवति णौ परतः । आत्वाभावपक्षे वृद्धिः अयादेशः ह्रस्वः च ।

7.3.37 शाच्छासाह्वाव्यावेपां युक् । वा० धूञ्प्रीञोः नुग्वक्तव्यः इति नुक्। पक्षे हेतुमण्ण्यन्तादेव नुग्वक्तव्यः न तु स्वार्थण्यन्तात् इति पर्यवसानात् अस्य धातोः स्वार्थण्यन्तात् नुगभावे एवं रूपम् ।

7.3.39 लीलोर्नुग्लुकावन्यतरस्यां स्नेहविपातने । applies to 4c Root 1139 लीङ् श्लेषणे and not to 1811 ली द्रवीकरणे

7.3.54 हो हन्तेर्ञ्णिन्नेषु । इति ह् घ् । इति घ्नन्ति ।

7.3.61 भुजन्युब्जौ पाण्युपतापयोः । Even though this Dhatu was originally उद्ज in Dhatupatha by this sutra its usage has become उब्ज ।

7.3.71 ओतः श्यनि । ओकारान्तस्य अङ्गस्य श्यनि परतः लोपः ।

7.3.74 शमाम् अष्टानां दीर्घः श्यनि ।

7.3.75 ष्ठिवुक्लम्याचमां शिति। ष्थिवु क्लमि आचम् इत्येतेषां शिति परतः दीर्घः।

7.3.76 क्रमः परस्मैपदेषु , इति दीर्घः शिति परतः ।

7.3.77 इषुगमियमां छः । इष् गम् यम् इत्येतेषां शिति परतः छकारः अन्तादेशः ।

7.3.78 पा–घ्रा–ध्मा–स्था–म्ना–दाण्–दृशि–अ र्ति–सर्ति–शद–सदां पिब–जिघ्र–धम–तिष्ठ–मन–यच्छ–पश्य–ऋच्छ–धौ–शीय–सीदाः । इति शिति परतः।

7.3.79 ज्ञाजनोर्जा । इति शिति परतः जा आदेशः । ज्ञा जन् धात्वोः शित् प्रत्ययः परतः जा आदेशः । गणसूत्र० जनीजॄष्क्नसुरञ्जोऽमन्ताश्च । मितः इति अनुवर्तते । इति णिच् परे जनयति ।

7.3.80 प्वादीनां ह्रस्वः ।

7.3.82 मिदेर्गुणः । मिदेः अङ्गस्य इको गुणः शिति प्रत्यये परतः ।

7.3.83 जुसि च । अजादि जुस् प्रत्यये परतः इगन्तस्य अङ्गस्य गुणः ।
Applies to लङ् Parasmayepadi iii/3 affix

7.3.84 सार्वधातुकार्धधातुकयोः । इति गुणः । सार्वधातुके आर्धधातुके च प्रत्यये परे अङ्गस्य गुणः आदेशः । All पित् affixes cause guna

7.3.85 जाग्रोऽविचिण्णल्ङित्सु । जागृ अङ्गस्य गुणः भवति वि-चिण्-णल्-ङित् भिन्नः प्रत्यये परतः।

7.3.86 पुगन्तलघूपधस्य च । सार्वधातुके आर्धधातुके च प्रत्यये परे पुगन्तस्य तथा लघूपधस्य अङ्गस्य गुणादेशः । परिभाषेन्दुशेखर० Sutra 93 संज्ञापूर्वको विधिः अनित्यः ।

7.3.87 नाभ्यस्तस्याचि पिति सार्वधातुके । अभ्यस्तसंज्ञकस्य अङ्गस्य लघूपधस्य अजादौ पिति सार्वधातुके गुणः न ।

7.3.89 उतो वृद्धिर्लुकि हलि । इति उकारान्तस्य अङ्गस्य वृद्धिः भवति लुकि सति हलादौ पिति सार्वधातुके ।

7.3.90 ऊर्णोतेर्विभाषा ।इति हलादि पित् सार्वधातुके परे वा वृद्धिः स्यात्। पक्षे गुणः ।

7.3.91 गुणोऽपृक्ते । इति अपृक्त हलादि पित् सार्वधातुक परतः गुणः ।

7.3.92 तृणह इम् । हलादि पित् सार्वधातुके परे इम् आगमः ।

7.3.93 ब्रुव ईट् । इति हलादि पिति ईट् आगमः ।

7.3.95 तुरुस्तुशम्यमः सार्वधातुके । तु, रु, स्तु, शम्, अम् - एतेभ्यः परस्य हलादि-सार्वधातुक-तिङ्-प्रत्ययस्य विकल्पेन ईट् । तु इति सौत्रः धातुः । अनिट् । तु is only present in this sutra and not in Dhatupatha

7.3.96 अस्तिसिचोऽपृक्ते । अस्-धातोः अङ्गात् परस्य तथा सिच्-प्रत्ययान्त-अङ्गात् परस्य सार्वधातुकस्य अपृक्त-हल्-प्रत्ययस्य ईट्-आगमः ।

7.3.97 रुदश्च पञ्चभ्यः । इति रुदादिभ्यः पञ्च धातुभ्यः हलादि पित् अपृक्त सार्वधातुके ईट् आगमः ।

7.3.99 अड् गार्ग्यगालवयोः । इति रुदादिभ्यः पञ्च धातुभ्यः हलादि पित् अपृक्त सार्वधातुके अट् आगमः ।

7.3.100 अदः सर्वेषाम् ।

7.3.101 अतो दीर्घो यञि ।

7.4.22 अयङ् यि क्ङिति । इति यकारादौ क्ङिति प्रत्यये परतः शीङः अङ्गस्य अय् आदेशः ।

7.4.25 अकृत्सार्वधातुकयोर्दीर्घः । इति यकारादि प्रत्यय परतः दीर्घः । अजन्तस्य धातुभ्यः दीर्घः, किति सार्वधातुके भिन्नः यकारादिः प्रत्यये परतः ।

7.4.28 रिङ् शयग्लिङ्क्षु । "श" प्रत्यये परे, "यक्" प्रत्यये परे, असार्वधातुके लिङ्-लकारे परे च ऋकारान्त-धातोः रिङ्-आदेशः । इति पृ = प् ऋ = प् रि = प्रि ।

7.4.29 गुणोऽर्तिसंयोगाद्योः । अर्तेः (ऋ धातुः), संयोगादीनाम् ऋकारान्तानां यकि परतः लिगि च यकारादौ असार्वधातुके गुणः भवति ।

7.4.40 द्यतिस्यतिमास्थामित्ति किति । इति द्यति स्यति मा स्था इत्येतेषाम् अङ्गानाम् इकारादेशो भवति तकारादौ किति प्रत्यये परतः ।

7.4.41 शाछोरन्यतरस्याम् । शा छा अङ्गस्य अन्यतरस्याम् इकारादेशः तकारादौ किति प्रत्यये परतः ।

7.4.42 दधातेर्हिः । दधातेः अङ्गस्य हि इत्ययम् आदेशः भवति तकारादौ किति प्रत्यये परतः।

7.4.45 सुधितवसुधितनेमधितधिष्वधिषीय च । सुधित वसुधित नेमधित इति सुवसुनेमपूर्वस्य दधातेः क्त प्रत्यय इत्त्वम् इडागमः वा प्रत्ययस्य निपात्यते।

7.4.46 दो दद् घोः । दा इत्येतस्य घुसंज्ञकस्य दथ् आदेशः तकारादौ किति प्रत्यय परतः ।

7.4.53 यीवर्णयोर्दीधीवेव्योः । दीधी वेवी धातुभ्यः अन्त्य अल् वर्णस्य (ईकारस्य) यकारादौ इवर्णादौ च परतः लोपः।

7.4.59 ह्रस्वः । अभ्यासस्य ह्रस्वः । States that the initial portion of the Reduplication will take ह्रस्वः vowel.

7.4.60 हलादिः शेषः । अभ्यासस्य आदिः हल् शेषः , अन्ये हल् लोपः । जश्त्वम् इति अभ्यासस्य ध् द्।

7.4.62 कुहोश्चुः । अभ्यासस्य कवर्गीयवर्णस्य हकारस्य चवर्गीयवर्णादेशः ।

7.4.66 उरत् । अभ्यासे ऋवर्णस्य अकारादेशः ।

7.4.75 निजां त्रयाणां गुणः श्लौ । निजादीनां त्रयाणां अभ्यासस्य गुणः भवति श्लौ सति । णिजिर् नेनेक्ति । विजिर् वेवेक्ति। विष्लृ वेवेष्टि । इति अभ्यास्य गुणः ।

7.4.76 भृञामित् । इति अभ्यासस्य इत्वम् । भृञादीनां त्रयाणाम् अभ्यासस्य इकारादेशः शलौ । भृञ् बिभर्ति। माङ् मिमीते। ओहाङ् जिहीते।

7.4.77 अर्तिपिपर्त्योश्च । इति अभ्यासस्य इकारः ।

7.4.78 बहुलं छन्दसि । छन्दसि विषये अभ्यासस्य श्लौ बहुलम् इकारादेशः वा । Since both rupas are seen in Vedas but only इकार rupa seen in classical literature.

7.4.89 ति च ।

8.2.18 कृपो रो लः । कृपेः धातोः रेफस्य लकारादेशः । 1.3.92 1.3.93 लुटि च क्लृपः ।

8.2.21 अचि विभाषा । अजादौ प्रत्यये परतः ग्रो रेफस्य विभाषा लकारादेशः ।

8.2.23 संयोगान्तस्य लोपः ।

8.2.25 धि च । धकारादौ प्रत्यये परतः सकारस्य लोपः ।

8.2.26 झलो झलि । इति झल् परे सकारस्य लोपः ।

8.2.29 स्कोः संयोगाद्योरन्ते च । पदस्य अन्ते यः संयोगः, झलि परतः वा यः संयोगः, तत् आदि सकारस्य् / ककारस्य लोपः। इति सकारः लोपः , इति मन्ज् ।

8.2.30 चोः कुः । इति कुत्वम् । चवर्गीयवर्णस्य पदान्ते अथवा झलि परे कवर्गादेशः । इति ज् ग् ।

8.2.31 हो ढः । हकारस्य पदान्ते अथवा झलि परे ढकारादेशः । इति ह् ढ् । इति द्रुह् द्रुढ् ।

8.2.33 वा द्रुहमुहष्णुहष्णिहाम् । द्रुह मुह ष्णुह तथा ष्णिह , एतेषां धातूनां हकारस्य पदान्ते अथवा झलि परे विकल्पेन घकारादेशः , घकारादेशः अभावे (हो ढः) औत्सर्गिकः ढकारादेशः ।इति निष्ठायां द्रुह् => द्रुघ् / द्रुढ् ।

8.2.34 नहो धः । नह्-धातोः हकारस्य पदान्ते अथवा झल्-वर्णे परे धकारादेशः ।

8.2.35 आहस्थः । इति ह् थ् ।

8.2.36 व्रश्चभ्रस्जसृजमृजयजराजभ्राजच्छशां षः । व्रश्च् , भ्रस्ज् , सृज् , मृज् , यज् , राज् , भ्राज् धातूनां , शकारान्तशब्दानां छकारान्तशब्दानां च झलि परे अथवा पदान्ते , षकारादेशः । इति जस्य षकारः ।

8.2.37 एकाचो बशो भष् झषन्तस्य स्ध्वोः । For बश् letters in the beginning of an एकाचः धातुः that ends in a झष् letter, भष् आदेशः in presence of a सकार or ध्व, or at end of पदम्

। इति द्रुढ् ध्रुढ् ।

8.2.38 दधस्तथोश्च । इति अभ्यास्य दकारस्य धकारः , तकारादि थकारादि च प्रत्यये परतः ।

8.2.39 झलां जशोऽन्ते ।

Applies to पदम् by 1.4.14 or 1.4.17
Final झल् of word is replaced with corresponding जश् letter. झल् = row consonant letters except nasals, and sibilants and aspirate. जश् = 3rd letter of row consonant = ग् ज् ड् द् ब् ।
Thus, Final क् ख् ग् घ् is replaced with ग् ।
Final च् छ् ज् झ् is replaced with ज् ।
Final ट् ठ् ड् ढ् is replaced with ड् ।
Final त् थ् द् ध् is replaced with द् ।
Final प् फ् ब् भ् is replaced with ब् ।
Final श् is replaced with ज् । Place of utterance = Palate
Final ष् is replaced with ड् । Place of utterance = Cerebrum
Final स् is replaced with द् । Place of utterance = Teeth
Final ह् is replaced with ग् । Place of utterance = Throat

8.2.40 झषस्तथोर्धोऽधः । इति धत्वम् । धा-धातुं विहाय अन्येषां धातूनां विषये झष्-वर्णात् परस्य तकारस्य थकारस्य च धकारः । इति निष्ठायाः तस्य धकारः ।

8.2.41 षढोः कः सि । इति कत्वम् । षकारस्य ढकारस्य च सकारे परे ककारः आदेशः । इति धातोः ष् क् । इति ध्रुढ् ध्रुक् ।

8.2.42 रदाभ्यां निष्ठातो नः पूर्वस्य च दः । रेफ–दकाराभ्याम् उत्तरस्य निष्ठा तकारस्य नकारः आदेशः , तथा पूर्वस्य दकारस्य अपि नकारः आदेशः ।

8.2.43 संयोगादेरातो धातोर्यण्वतः । इति निष्ठा तकारस्य नकारादेशः ।

8.2.44 ल्वादिभ्यः । तेभ्यः धातुभ्यः उत्तरस्य निष्ठातकारस्य नकारादेशः । वा० सिनोतेर्ग्रासकर्मकर्तृकस्य इति वक्तव्यम् । वा० दुग्वोर्दीर्घश्च इति वक्तव्यम् । इति निष्ठानत्वं दीर्घः च ।

8.2.45 ओदितश्च । ओदित् धातोः उत्तरस्य निष्ठायाः तकारस्य नकारः आदेशः । Also see 4c gana स्वादय ओदितः । धातुपाठे गणसूत्रम् ।

8.2.46 क्षियो दीर्घात् । क्षि धातोः दीर्घात् उत्तरस्य निष्ठातकारस्य नकारादेशः ।

8.2.49 दिवोऽविजिगीषायाम् । दिवः उत्तरस्य निष्ठा तकारस्य नकारादेशो भवति अविजिगीषायम् अर्थे ।

8.2.51 शुषः कः । इति निष्ठातकारस्य ककारः ।

8.2.53 क्षायो मः । इति निष्ठा तकारस्य मकारः ।

8.2.55 अनुपसर्गात् फुल्लक्षीबकृशोल्लाघाः । without Upasarga, Form is stated as क्षीब in this sutra. वा० उत्फुल्लसंफुल्लयोरिति वक्तव्यम् । इति फुल्ल निपातनम् । Also with upasarga उत् , उल्लाघः has been stated in Sutra, i.e. without इट् । Notice sandhi application 8.4.60 तोर्लि ।

8.2.56 नुदविदोन्दत्राघ्राह्रीभ्योऽन्यतरस्याम् । नुद विद उन्द त्रा घ्रा ह्री इत्येतेभ्यः उत्तरस्य निष्ठा तकारस्य नकार आदेशः अन्यतरस्याम् ।

8.2.57 न ध्याख्यापॄमूर्च्छिमदाम् । ध्या ख्या पॄ मुर्च्छा मदी एतेषां धातुनां निष्ठा तकारस्य नकारादेशः न ।

8.2.58 वित्तो भोगप्रत्यययोः । विन्दतेर्निष्ठातस्य निपातोऽयं भोग्ये प्रतीते चार्थे । वित्तं धनम् ।

8.2.59 भित्तं शकलम् । इति निष्ठानत्व अभावः निपात्यते ।

8.2.60 ऋणमाधमर्ण्ये । ऋणम् इति ऋ इत्येतस्माद् धातोः उत्तरस्य निष्ठातकारस्य नकारः निपात्यते आधमर्ण्यविषये। आधमर्ण्य विषये नत्वम् भवति, इति ऋणम् । अन्-आधमर्ण्य विषये नत्वम् नास्ति इति ऋतम्। ऋतं वक्ष्यामि नानृतम् ।

8.2.61 नसत्तनिषत्तानुत्तप्रतूर्तसूर्तगूर्तानि छन्दसि । नसत्त निषत्त अनुत्त प्रतूर्त सूर्त गूर्त इत्येतानि छन्दसि विषये निपात्यन्ते। Vedic usage shows गूर्त etc. Vedic usage is गूर्ता as it is निपातित unconventional. इति नञ् + (षद्) सद् + क्त → नसत्तः ।

8.2.65 म्वोश्च ।

8.2.66 ससजुषो रुः । पदान्तस्य सकारस्य सजुष्-शब्दस्य च रुँत्वम् ।

8.2.73 तिप्यनस्तेः । तिप् परतः सकारान्तस्य पदस्य अन्-अस्तेः दकार आदेशः ।

8.2.74 सिपि धातो रुर्वा । सिप् परतः सकारान्तस्य पदस्य धातोः रुः आदेशः , पक्षे दकारः।

8.2.75 दश्च । इति सिप् परे दकारस्य रु आदेशः विकल्पेन । पक्षे 8.4.56 ।

8.2.77 हलि च । इति उपधा दीर्घः । रेफ-वकारान्त-धातोः उपधा इक्-वर्णस्य हल्-वर्णे परे दीर्घः आदेशः । Does not apply to सेट्

निष्ठा since the affix is no longer हलादिः । इति ऊर् ।

8.2.78 उपधायां च । धातोः उपधयोः हल् परयोः र्वोः (रेफवकारौ) उपधायाः इकः दीर्घः ।

8.2.79 न भकुर्छुराम् । रेफवकारान्तस्य भस्य कुर् छुर् इत्येतयोः च दीर्घः न

8.3.13 ढो ढे लोपः । यदि ढकारात् परः ढकारः आगच्छति, तर्हि प्रथमढकारस्य लोपः । इति द्रु ।

8.3.15 खरवसानयोर्विसर्जनीयः । पदान्ते रेफस्य खरि अवसाने वा परे विसर्गः । For the लङ् Parasmayepadi स् ii/1 affix , 8.2.66 and 8.3.15 change स् to visarga.

8.3.24 नश्चापदान्तस्य झलि । अपदान्तः मकारस्य नकारस्य च झलि परे अनुस्वारः आदेशः । इति मन्ज् मंज् ।

8.3.59 आदेशप्रत्यययोः । इति षत्वम् । इण् अथवा कवर्गः परस्य अपदान्तस्य आदेशरूपस्य प्रत्ययावयवरूपस्य स् ष् ।

8.3.60 शासिवसिघसीनां च । इण्–कवर्ग परस्य शास्,वस्,घस् धातूनाम् अपदान्तसकारस्य षकारः।

8.4.1 रषाभ्यां नो णः समानपदे । A non-final नकारः within a word changes to णकारः when preceded by र or ष । वा० ऋवर्णाः च इति वक्तव्यम् ।

8.4.2 अट्कुप्वाङ्नुम्व्यवायेऽपि । A नकारः within a word changes to णकारः , even when in between (र ष ऋ and न्) singly or a combination of letters अट् (any vowel, य् व् ह्) कु पु आङ् नुम् intervene.

8.4.37 पदान्तस्य । Final न् remains unchanged

8.4.39 क्षुभ्नाऽऽदिषु च । क्षुभ्ना इत्येवम् आदिषु शब्देषु नकारस्य णकारदेशो न भवति ।

8.4.40 स्तोः श्चुना श्चुः । इति श्चुत्वम् । सकार–तवर्गयोः शकार–चवर्गाभ्यां योगे शकार–चवर्गौ स्तः । इति नकारस्य श्चुत्वम् ञकारः । इति तकारस्य चकारः । इति सकारस्य शकारः ।

8.4.41 ष्टुना ष्टुः । सकार-तवर्गयोः षकार-टवर्गाभ्यां योगे षकार–टवर्गौ स्तः । इति निष्ठायाः ध् ढ् । इति निष्ठायाः त् ट् ।

8.4.44 शात् । इति शकारस्य परे 8.4.40 स्तोः श्चुना श्चुः, श्चुत्वम् निषेधः ।

8.4.53 झलां जश् झशि । इति जश्त्वम् । झल्-वर्णस्य झश्-वर्णे परे जश्-वर्णादेशः । इति धातोः धस्य दकारः । इति धातोः धस्य गकारः ।

इति शस्य जकारः ।

8.4.54 अभ्यासे चर्च । अभ्यासे झल्-वर्णस्य यथायोग्यम् जश् वर्णादिशः चर्-वर्णादिशः वा ।

8.4.55 खरि च । इति चर्त्वम् । झल् वर्णस्य खर् वर्णे परे चर् भवति संहितायाम् । इति दथ् दत् । झल् letter converted to चर् letter when followed by खर् letter । इति द् त् । इति भध् भत् । इति ग् क् ।

8.4.56 वाऽवसाने । अवसाने परे झल्-वर्णस्य विकल्पेन चर्त्वम् । इति वैकल्पिक चर्त्वम् । विदिप्रच्छिस्वरतीनाम् उपसंख्यानम् । सम् परेषाम् एषाम् आत्मनेपदं स्यात् । उदा० संवित्ते ।

8.4.58 अनुस्वारस्य ययि परसवर्णः । यय् प्रत्याहारे उपस्थितौ अनुस्वारस्य परसवर्णः आदेशः । इति मन्ज् मञ्ज् । इति पिन्ष् पिंष् ।

8.4.60 तोर्लि ।

8.4.62 झयो होऽन्यतरस्याम् इति ह् ढ् ।

8.4.65 झरो झरि सवर्णे । हलः परस्य झर्-वर्णस्य सवर्णे झर्-वर्णे परे विकल्पेन लोपः । It will work on Conjunct झर् + झर् । e.g. त् थ् द् ध् are स्वर्ण for this Sutra.

Summary of Affixes in 10+1 Lakaras

1. Present Tense लट्

Regular Gana लट् Affixes (Dhatus 1c, 4c, 6c, 10c)

Parasmaipada लट्			Atmanepada लट्		
ति प्	तस्	अन्ति	ते	इते	अन्ते
सि प्	थस्	थ	से	इथे	ध्वे
मि प्	वस्	मस्	ए	वहे	महे

Irregular Gana लट् Affixes (Dhatus 2c, 5c, 7c, 8c, 9c)

Parasmaipada लट्			Atmanepada लट्		
ति प्	तस्	अन्ति	ते	आते	अते
सि प्	थस्	थ	से	आथे	ध्वे
मि प्	वस्	मस्	ए	वहे	महे

Reduplicated Gana लट् Affixes (Dhatus 3c) and 7 Roots of 2c जक्षँ जागृ दरिद्रा चकासृ शासु दीधीङ् वेवीङ्

Parasmaipada लट्			Atmanepada लट्		
ति प्	तस्	अति	ते	आते	अते
सि प्	थस्	थ	से	आथे	ध्वे
मि प्	वः	मः	ए	वहे	महे

2. Imperfect Past Tense लङ्

Regular Ganas (1c, 4c, 6c, 10c) अ / आ +Root+GanaVikarana+Affix

Parasmaipada लङ्			Atmanepada लङ्		
त् प्	ताम्	अन्	त	इताम्	अन्त
स् प्	तम्	त	थाः	इथाम्	ध्वम्
अम् प्	व	म	इ	वहि	महि

152

Irregular Ganas (2c, 5c, 7c, 8c, 9c) अ / आ +Root+GanaVikarana+Affix

Parasmaipada लङ्			Atmanepada लङ्		
त् प्	ताम्	अन्	त	आताम्	अत
स् प्	तम्	त	थाः	आथाम्	ध्वम्
अम् प्	व	म	इ	वहि	महि

लङ् Affixes Reduplicated Gana Dhatus 3c and 7 Roots of 2c जक्षँ जागृ दरिद्रा चकासृ शासु दीधीङ् वेवीङ्

Parasmaipada लङ्			Atmanepada लङ्		
त् प्	ताम्	उः	त	आताम्	अत
स् प्	तम्	त	थाः	आथाम्	ध्वम्
अम् प्	व	म	इ	वहि	महि

3. Imperative Mood लोट्

लोट् Affixes Regular Ganas (Dhatus 1c, 4c, 6c, 10c)

Parasmaipada लोट्			Atmanepada लोट्		
तुप् / तात्	ताम्	अन्तु	ताम्	इताम्	अन्ताम्
-प् / तात्	तम्	त	स्व	इथाम्	ध्वम्
आनिप्	आवप्	आमप्	ऐप्	आवहैप्	आमहैप्

लोट् Affixes Irregular Ganas (Dhatus 2c, 5c, 7c, 8c, 9c)

Parasmaipada लोट्			Atmanepada लोट्		
तुप् / तात्	ताम्	अन्तु	ताम्	आताम्	अताम्
हि / तात्	तम्	त	स्व	आथाम्	ध्वम्
आनिप्	आवप्	आमप्	ऐप्	आवहैप्	आमहैप्

लोट् iii/3 Parasmaipada Affix Reduplicated Gana (Dhatus 3c, and अभ्यस्त जक्षित्यादयः षट् of 2c - जक्षँ जागृ दरिद्रा चकासृ शासु दीधीङ् वेवीङ्)

Parasmaipada लोट्			Atmanepada लोट्		
तुप् / तात्	ताम्	अतु	ताम्	आताम्	अताम्
हि / तात्	तम्	त	स्व	आथाम्	ध्वम्
आनिप्	आवप्	आमप्	ऐप्	आवहैप्	आमहैप्

4. Potential Mood विधिलिङ्

विधिलिङ् Affixes Regular Ganas (1c, 4c, 6c, 10c Dhatus)

Parasmaipada विधिलिङ्			Atmanepada विधिलिङ्		
इत्	इताम्	इयुः	ईत	ईयाताम्	ईरन्
इः	इतम्	इत	ईथास्	ईयाथाम्	ईध्वम्
इयम्	इव	इम	ईय	ईवहि	ईमहि

विधिलिङ् Affixes Irregular Ganas (Dhatus 2c, 3c, 5c, 7c, 8c, 9c)

Parasmaipada विधिलिङ्			Atmanepada विधिलिङ्		
यात्	याताम्	युः	ईत	ईयाताम्	ईरन्
याः	यातम्	यात	ईथास्	ईयाथाम्	ईध्वम्
याम्	याव	याम	ईय	ईवहि	ईमहि

5. Simple Future Tense लृट्

Only अनिट् ANit Dhatus (1c, 2c, 3c, 4c, 5c, 6c, 7c, 8c, 9c, 10c) स्य

Parasmaipada लृट्			Atmanepada लृट्		
स्यति	स्यतः	स्यन्ति	स्यते	स्येते	स्यन्ते
स्यसि	स्यथः	स्यथ	स्यसे	स्येथे	स्यध्वे
स्यामि	स्यावः	स्यामः	स्ये	स्यावहे	स्यामहे

Only सेट् Dhatus (1c, 2c, 3c, 4c, 5c, 6c, 7c, 8c, 9c, 10c) इ + स्य → इष्य

Parasmaipada लृट्			Atmanepada लृट्		
इष्यति	इष्यतः	इष्यन्ति	इष्यते	इष्येते	इष्यन्ते
इष्यसि	इष्यथः	इष्यथ	इष्यसे	इष्येथे	इष्यध्वे
इष्यामि	इष्यावः	इष्यामः	इष्ये	इष्यावहे	इष्यामहे

6. Conditional Mood लृङ्

Only अनिट् ANit Dhatus (1c, 2c, 3c, 4c, 5c, 6c, 7c, 8c, 9c, 10c)

अ / आ + Root + स्य + Affix , cause Guna

Parasmaipada लृङ्			Atmanepada लृङ्		
स्यत्	स्यताम्	स्यन्	स्यत	स्येताम्	स्यन्त
स्यः	स्यतम्	स्यत	स्यथाः	स्येथाम्	स्यध्वम्
स्यम्	स्याव	स्याम	स्ये	स्यावहि	स्यामहि

154

Only सेट् Dhatus (1c, 2c, 3c, 4c, 5c, 6c, 7c, 8c, 9c, 10c)

अ / आ + Root + इष्य + Affix, cause Guna

Parasmaipada लृङ्			Atmanepada लृङ्		
इष्यत्	इष्यताम्	इष्यन्	इष्यत	इष्येताम्	इष्यन्त
इष्यः	इष्यतम्	इष्यत	इष्यथाः	इष्येथाम्	इष्यध्वम्
इष्यम्	इष्याव	इष्याम	इष्ये	इष्यावहि	इष्यामहि

7. Periphrastic Future Tense लुट्

Only अनिट् ANit Dhatus (1c, 2c, 3c, 4c, 5c, 6c, 7c, 8c, 9c, 10c) तास्

Parasmaipada लुट्			Atmanepada लुट्		
ता	तारौ	तारः	ता	तारौ	तारः
तासि	तास्थः	तास्थ	तासे	तासाथे	ताध्वे
तास्मि	तास्वः	तास्मः	ताहे	तास्वहे	तास्महे

Only सेट् Dhatus (1c, 2c, 3c, 4c, 5c, 6c, 7c, 8c, 9c, 10c) इतास्

Parasmaipada लुट्			Atmanepada लुट्		
इता	इतारौ	इतारः	इता	इतारौ	इतारः
इतासि	इतास्थः	इतास्थ	इतासे	इतासाथे	इताध्वे
इतास्मि	इतास्वः	इतास्मः	इताहे	इतास्वहे	इतास्महे

8. Benedictive Mood आशीर्लिङ्

All Dhatus (1c, 2c, 3c, 4c, 5c, 6c, 7c, 8c, 9c, 10c)

Parasmaipada आशीर्लिङ् prefix with यास् , no Guna, no सेट्

यात्	यास्ताम्	यासुः
याः	यास्तम्	यास्त
यासम्	यास्व	यास्म

Only अनिट् ANit Dhatus (1c, 2c, 3c, 4c, 5c, 6c, 7c, 8c, 9c, 10c)

Atmanepada आशीर्लिङ् prefixed with सीयुट् → सीय् cause Guna

सीष्ट	सीयास्ताम्	सीरन्
सीष्ठाः	सीयास्थाम्	सीध्वम्
सीय	सीवहि	सीमहि

Only सेट् Dhatus (1c, 2c, 3c, 4c, 5c, 6c, 7c, 8c, 9c, 10c)

Atmanepada आशीर्लिङ् prefixed with इसीयुट् → इषीय् cause Guna

इषीष्ट	इषीयास्ताम्	इषीरन्
इषीष्ठाः	इषीयास्थाम्	इषीध्वम्
इषीय	इषीवहि	इषीमहि

9. Perfect Past Tense लिट्

Only अनिट् ANit Dhatus (1c, 2c, 3c, 4c, 5c, 6c, 7c, 8c, 9c, 10c)

Parasmaipada लिट्			Atmanepada लिट्		
णल् = अ अतुः		उः	ए	आते	इरे
थल् = थ अथुः		अ	से	आथे	ध्वे
णल् = अ व		म	ए	वहे	महे

Note – **Parasmaipada iii/1, ii/1, i/1** inherit पित् and cause Guna. What about Rest? All can cause guna by 7.3.84 as all affixes here are Ardhadhatuka.

Only सेट् Dhatus (1c, 2c, 3c, 4c, 5c, 6c, 7c, 8c, 9c, 10c)

Parasmaipada लिट्			Atmanepada लिट्		
अ	अतुः	उः	ए	आते	इरे
इथ	अथुः	अ	इषे	आथे	इध्वे
अ	इव	इम	ए	इवहे	इमहे
Only Affixes ii/1, i/2, i/3 can Take इट् augment.			Only Affixes ii/1, ii/3, i/2, i/3 can take इट् augment.		

7.2.13 कृसृभृवृस्तुद्रुस्रुश्रुवो लिटि । इट् augment for these 7 लिट् affixes for **Any Root** in Dhatupatha except the Roots given in this Sutra.

51 Specific Roots only (1c, 2c, 3c, 4c, 5c, 6c, 7c, 8c, 9c, 10c) आम्
5 अनेकाच् + 36 इजादि गुरुमान् + 3 Roots, 3+4 Roots Optionally
आम् + कृ / आम् + भू / आम् + अस् Alternate लिट् Verb forms

आम् + चकार /	आम् + चक्रतुः /	आम् + चक्रुः /
आम् + बभूव /	आम् + बभूवतुः /	आम् + बभूवुः /
आम् + आस	आम् + आसतुः	आम् + आसुः
आम् + चकर्थ /	आम् + चक्रथुः /	आम् + चक्र /
आम् + बभूविथ /	आम् + बभूवथुः /	आम् + बभूव /
आम् + आसिथ	आम् + आसथुः	आम् + आस
आम् + चकार /	आम् + चकृव /	आम् + चकृम /
आम् + बभूव /	आम् + बभूविव /	आम् + बभूविम /
आम् + आस	आम् + आसिव	आम् + आसिम

10. Aorist Past Tense लुङ्

1. लुङ् Specific Dhatus, by सिच् लुक् 2.4.77 गातिस्थाघुपाभूभ्यः सिचः

Parasmaipada लुङ्			Atmanepada NONE
त्	ताम्	अन् = उः	
स् = ◌ः	तम्	त	
अम्	व	म	

Note – Guna happens for appropriate Roots by 7.3.84, 7.3.86.

2. लुङ् Specific Dhatus only, by इट् + सिच् + सक्

Parasmaipada लुङ्			Atmanepada NONE
सीत्	सिष्टाम्	सिषुः	
सीः	सिष्टम्	सिष्ट	
सिषम्	सिष्व	सिष्म	

3. and 4. लुङ् Specific Dhatus only, by अङ्

Parasmaipada लुङ्			Atmanepada लुङ्		
अत्	अताम्	अन्	अत	एताम्	अन्त
अ:	अतम्	अत	अथा:	एथाम्	आध्वम्
अम्	आव	आम	ए	आवहि	आमहि

5. and 6. लुङ् Specific Dhatus only, by चङ्

Parasmaipada लुङ्			Atmanepada लुङ्		
अत्	अताम्	अन्	अत	एताम्	अन्त
अ:	अतम्	अत	अथा:	एथाम्	अध्वम्
अम्	आव	आम	ए	आवहि	आमहि

7. and 8. लुङ् Specific Dhatus only, by क्स

Parasmaipada लुङ्			Atmanepada लुङ्		
सत्	सताम्	सन्	सत	साताम्	सन्त
स:	सतम्	सत	सथा:	साथाम्	सध्वम्
सम्	साव	साम	सि	सावहि	सामहि

9. and 10. लुङ् Specific Dhatus only, by सिच्

Parasmaipada लुङ्			Atmanepada लुङ्		
सीत्	स्ताम्	सु:	स्त	साताम्	सत
सी:	स्तम्	स्त	स्था:	साथाम्	ध्वम्
सम्	स्व	स्म	सि	स्वहि	स्महि

11. and 12. लुङ् Specific Dhatus only, by इट् + सिच्

Parasmaipada लुङ्			Atmanepada लुङ्		
ईत्	इष्टाम्	इषु:	इष्ट	इषाताम्	इषत
ई:	इष्टम्	इष्ट	इष्ठा:	इषाथाम्	इढ्वम्
इषम्	इष्व	इष्म	इषि	इष्वहि	इष्महि

11a. Vedic Injunction लेट् Sarvadhatuka

e.g. iii/1 affix अ + ति → अति			e.g. iii/1 affix अ + ते → अते		
Parasmaipada अट् + लेट्			Atmanepada अट् + लेट्		
अति	अतः	अन्ति	अते	ऐते	अन्ते
अत् / द्	-	अन्	अतै	-	अन्तै
असि	अथः	अथ	असे	ऐथे	अध्वे
अः	-	-	असै	-	अध्वै
अमि	अवः	अमः	ए	अवहे	अमहे
अम्	अव	अम	ऐ	अवहै	अमहै

Parasmaipada आट् + लेट्			Atmanepada आट् + लेट्		
आति	आतः	आन्ति	आते	ऐते	आन्ते
आत् / द्	-	आन्	आतै	-	आन्तै
आसि	आथः	आथ	आसे	ऐथे	आध्वे
आः	-	-	आसै	-	आध्वै
आमि	आवः	आमः	-	आवहे	आमहे
आम्	आव	आम	ऐ	आवहै	आमहै

11b. Vedic Injunction लेट् Ardhadhatuka

तिङ् Affixes for सिप् + अट् + लेट् (prefix स् + अ → स)

Only अनिट् ANit Dhatus (1c, 2c, 3c, 4c, 5c, 6c, 7c, 8c, 9c, 10c)

Parasmaipada			Atmanepada		
सति	सतः	सन्ति	सते	सैते	सन्ते
सत् /सद्		सन्	सतै		सन्तै
ससि	सथः	सथ	ससे	सैथे	सध्वे
सः			ससै		सध्वै
समि	सवः	समः	से	सवहे	समहे
सम्	सव	सम	सै	सवहै	समहै

159

तिङ् Affixes इट् + सिप् + अट् + लेट् (prefix इ + स् + अ → इष)

Only सेट् Dhatus (1c, 2c, 3c, 4c, 5c, 6c, 7c, 8c, 9c, 10c)

Parasmaipada			Atmanepada		
इषति	इषतः	इषन्ति	इषते	इषैते	इषन्ते
इषत् / द्		इषन्	इषतै		इषन्तै
इषसि	इषथः	इषथ	इषसे	इषैथे	इषध्वे
इषः			इषसै		इषध्वै
इषमि	इषवः	इषमः	इषे	इषवहे	इषमहे
इषम्	इषव	इषम	इषै	इषवहै	इषमहै

तिङ् Affixes for इट् + सिप् + आट् + लेट् (prefix स्+आ → सा)

Only अनिट् ANit Dhatus (1c, 2c, 3c, 4c, 5c, 6c, 7c, 8c, 9c, 10c)

Parasmaipada			Atmanepada		
साति	सातः	सान्ति	साते	सैते	सान्ते
सात् / द्		सान्	सातै		सान्तै
सासि	साथः	साथ	सासे	सैथे	साध्वे
साः			सासै		साध्वै
सामि	सावः	सामः	-	सावहे	सामहे
साम्	साव	साम	सै	सावहै	सामहै

Modified तिङ् Affixes इट् + सिप् + आट् + लेट् (prefix इ + स् + आ → इषा)

Only सेट् Dhatus (1c, 2c, 3c, 4c, 5c, 6c, 7c, 8c, 9c, 10c)

Parasmaipada			Atmanepada		
इषाति	इषातः	इषान्ति	इषाते	इषैते	इषान्ते
इषात् /द्		इषान्	इषातै		इषान्तै
इषासि	इषाथः	इषाथ	इषासे	इषैथे	इषाध्वे
इषाः			इषासै		इषाध्वै
इषामि	इषावः	इषामः	-	इषावहे	इषामहे
इषाम्	इषाव	इषाम	इषै	इषावहै	इषामहै

Addendum

Krit कृत् Sarvadhatuka Affixes

3.4.113 तिङ्शित्सार्वधातुकम् । Affixes of तिङ् Lakaras, and Affixes that have श् as Tag Letter, when these affixes are affixed to a Dhatu, are called Sarvadhatuka.

Distinct कृत् Krit Sarvadhatuka affixes:

शतृ
शानन्

शानच्
चानश्

खश्
श
एश्
शध्यै
शध्यैन्

Total Sarvadhatuka कृत् Krit Affixes = 9

Krit कृत् Ardhadhatuka Affixes

3.4.114 आर्धधातुकं शेषः । All the remaining Affixes listed in the Ashtadhyayi, when these affixes are affixed to a Dhatu, are called Ardhadhatuka.

Distinct कृत् Krit Ardhadhatuka affixes:

अ	क	क्वरप्	ण्यत्	रु
अङ्	कञ्	क्वसु	ण्युट्	लुकन्
अच्	कध्यै	क्विन्	ण्वि	ल्यु
अण्	कध्यैन्	क्विप्	ण्विन्	ल्युट्
अतन्	कप्	क्से	ण्वुच्	वनिप्
अथुच्	कमुल्	खच्	ण्वुल्	वरच्
अध्यै	कसुन्	खमुञ्	तच्	विच्
अध्यैन्	कसेन्	खल्	तन्	विट्
अनि	कानच्	खिष्णुच्	तवेङ्	वुञ्
अनीयर्	कि	खुकञ्	तवेन्	वुन्
अप्	किन्	ख्युन्	तवै	षाकन्
असे	कुक्	ग्स्नु	तव्य	ष्ट्रन्
असेन्	कुरच्	घ	तव्यत्	ष्वुन्
आरु	केन्	घञ्	तुमुन्	से
आलुच्	केन्य	घिनुण्	तोसुन्	सेन्
इञ्	क्त	घुरच्	त्वन्	
इत्र्	क्तवतु	ङ्वनिप्	थकन्	
इनि	क्तिच्	ट	नङ्	
इनुण्	क्तिन्	टक्	नजिङ्	
इन्	क्त्रि	ड	नन्	
इष्णुच्	क्त्वा	डु	मनिन्	
उ	क्नु	ण	यत्	
उकञ्	क्मरच्	णच्	युच्	
उण्	क्यप्	णमुल्	युट्	
ऊक्	क्वनिप्	णिनि	र	

Total Ardhadhatuka कृत् Krit Affixes = 115

Vikarana विकरण Sarvadhatuka Affixes

3.4.113 तिङ्शित्सार्वधातुकम् । Affixes of तिङ् Lakaras, and Affixes that have श् as Tag Letter, when these affixes are affixed to a Dhatu, are called Sarvadhatuka.

Distinct विकरण Vikarana Sarvadhatuka affixes:

शप् for Dhatus of 1c gana of Dhatupatha

श्यन् for Dhatus of 4c gana of Dhatupatha

श्नु for Dhatus of 5c gana of Dhatupatha

श for Dhatus of 6c gana of Dhatupatha

श्नम् for Dhatus of 7c gana of Dhatupatha

श्ना for Dhatus of 9c gana of Dhatupatha

शायच् substitute of **श्ना** after consonant ending Roots, when हि follows

शानच्

Total Sarvadhatuka विकरण Vikarana Affixes = 8

Vikarana विकरण Ardhadhatuka Affixes

3.4.114 आर्धधातुकं शेषः । All the remaining Affixes listed in the Ashtadhyayi, when these affixes are affixed to a Dhatu, are called Ardhadhatuka.

Distinct विकरण Vikarana Ardhadhatuka affixes:
अङ् for लुङ् लकार
क्स for लुङ् लकार
चङ् for लुङ् लकार
चिण् for लुङ् लकार
च्लि for लुङ् लकार
तास् for लुट् लकार
सिच् for लुङ् लकार
सिप् for लेट् लकार
स्य for लृट् लकार
उ for Dhatus of 8c gana of Dhatupatha

यक् for Dhatus of Kandvadi gana

Total Ardhadhatuka विकरण Vikarana Affixes 11

Other अन्य Ardhadhatuka Affixes

3.4.114 आर्धधातुकं शेषः । All the remaining Affixes listed in the Ashtadhyayi, when these affixes are affixed to a Dhatu, are called Ardhadhatuka.

Distinct अन्य Other Ardhadhatuka affixes:
आम् for लिट् लकार
णिच् for secondary Causative Roots
ईयङ् for Sandhi
यङ् for secondary Frequentative Roots
सन् for secondary Desiderative Roots

Total Ardhadhatuka अन्य Other Affixes = 5

7x3 Tables of Sup Affixes for making Nouns

Masculine NOUN flowchart

- Dhatu + Krit affix → Pratipadika + Sup affix → Noun
- Dhatu + Unadi affix → Pratipadika + Sup affix → Noun

Note

- Pratipadika = Noun STEM

Feminine NOUN Flowchart

- Dhatu + Krit affix → Pratipadika + Feminine affix →
  Pratipadika^f + Sup affix → Noun
- Dhatu + Unadi affix → Pratipadika^f + Sup affix → Noun

Neuter NOUN Flowchart

Some stems are classified as both masculine and neuter, so the same masculine stem gets defined as a neuter stem, and uses Sutras from the Ashtadhyayi meant for neuter stems. There aren't specific affixes to make neuter stems.

- Dhatu + Krit affix → Pratipadika^n + Sup affix → Noun
- Dhatu + Unadi affix → Pratipadika^n + Sup affix → Noun

Vocative Case

It is not defined as a distinct case, rather some sutras in the Ashtadhyayi help in the construction of Vocative. It is only used in the Nominative sense. Usually the Vocative Singular is seen in literature, and it is called Sambuddhi. However we also decline the Vocative dual and plural, which is identical to the Nominative dual and plural respectively.

7x3 Sup Noun Affixes Matrix by Sutra 4.1.2

V हे	V/1	V/2	V/3	similar to Nominative		
1	1/1	1/2	1/3	स् उँ	औ	ज् अस्
2	2/1	2/2	2/3	अम्	औ ट्	श् अस्
3	3/1	3/2	3/3	ट् आ	भ्याम्	भिस्
4	4/1	4/2	4/3	ङ् ए	भ्याम्	भ्यस्
5	5/1	5/2	5/3	ङ् अस् इँ	भ्याम्	भ्यस्
6	6/1	6/2	6/3	ङ् अस्	ओस्	आम्
7	7/1	7/2	7/3	ङ् इ	ओस्	सु प्

7x3 Sup Noun Affixes Matrix without Tag Letters

V हे	V/1	V/2	V/3	similar to Nominative		
1	1/1	1/2	1/3	स्	औ	अस्
2	2/1	2/2	2/3	अम्	औ	अस्
3	3/1	3/2	3/3	आ	भ्याम्	भिस्
4	4/1	4/2	4/3	ए	भ्याम्	भ्यस्
5	5/1	5/2	5/3	अस्	भ्याम्	भ्यस्
6	6/1	6/2	6/3	अस्	ओस्	आम्
7	7/1	7/2	7/3	इ	ओस्	सु

7x3 Sup Nouns Names

V है	V/1 Vocative Singular	V/2 Vocative dual	V/3 Vocative plural
case / number	1 singular number	2 dual number	3 plural number
1 Nominative case	1/1 Nominative Singular	1/2 Nominative dual	1/3 Nominative plural
2 Accusative case	2/1 Accusative Singular	2/2 Accusative dual	2/3 Accusative plural
3 Instrumental case	3/1 Instrumental Singular	3/2 Instrumental dual	3/3 Instrumental plural
4 Dative case	4/1 Dative Singular	4/2 Dative dual	4/3 Dative plural
5 Ablative case	5/1 Ablative Singular	5/2 Ablative dual	5/3 Ablative plural
6 Genitive case	6/1 Genitive Singular	6/2 Genitive dual	6/3 Genitive plural
7 Locative case	7/1 Locative Singular	7/2 Locative dual	7/3 Locative plural

7x3 सुप् नामन् Sanskrit Names

V हे	V/1 सम्बुद्धिः	V/2 सम्बोधनम् द्विवचनम्	V/3 सम्बोधनम् बहुवचनम्
विभक्ति / वचन	1 एकवचनम्	2 द्विवचनम्	3 बहुवचनम्
1st प्रथमा विभक्तिः	1/1 प्रथमम् एकवचनम्	1/2 प्रथमम् द्विवचनम्	1/3 प्रथमम् बहुवचनम्
2nd द्वितीया विभक्तिः	2/1 द्वितीया एकवचनम्	2/2 द्वितीया द्विवचनम्	2/3 द्वितीया बहुवचनम्
3rd तृतीया विभक्तिः	3/1 तृतीया एकवचनम्	3/2 तृतीया द्विवचनम्	3/3 तृतीया बहुवचनम्
4th चतुर्थी विभक्तिः	4/1 चतुर्थी एकवचनम्	4/2 चतुर्थी द्विवचनम्	4/3 चतुर्थी बहुवचनम्
5th पञ्चमी विभक्तिः	5/1 पञ्चमी एकवचनम्	5/2 पञ्चमी द्विवचनम्	5/3 पञ्चमी बहुवचनम्
6th षष्ठी विभक्तिः	6/1 षष्ठी एकवचनम्	6/2 षष्ठी द्विवचनम्	6/3 षष्ठी बहुवचनम्
7th सप्तमी विभक्तिः	7/1 सप्तमी एकवचनम्	7/2 सप्तमी द्विवचनम्	7/3 सप्तमी बहुवचनम्

Sanskrit Verbs and Nouns

Sandhis separated word by word पदच्छेद (प०),

Verses in prose order अन्वय (अ०),and with विभक्ति Cases.

Abbreviations

Nouns

m masculine, **f** feminine, **n** neuter; **V** vocative

1/1 = vibhakti case from 1 to 7/number 1 to 3

Indeclinables (uninflected nouns or verbs) **0**

In Sanskrit the **adverbs** are mostly uninflected.

Verbs

iii/1 = person i to iii / number 1 to 3

PPP = Past Participle Passive = क्त

PPA = Past Participle Active = क्तवत्

PrPA = PresentParticiple Active = शतृ/ शानच्

PoPP = PotentialParticiple Passive = य, तव्य, अनीयर् (gerund)

तुमुन् = infinitive, in the sense of "to do"

Anusvara and Makara have been kept as they are in Padacheda, to avoid over work. E.g. इदं should be written as इदम् in Padacheda.

Sanskrit Literature frequently omits the verb – "is". The words भवति, अस्ति etc. are implicit.

Since Sanskrit is an inflectional language, the **spelling of the same word** changes as per context or usage. Hence words can be **placed anywhere** in a sentence, as in poetic use, without change in meaning. The matrix shows how.

Noun declensions in Sanskrit – a sample chart

Masculine stem, vowel अ ending		
(र्–आ–म्–अ) राम[m] Lord's name		
	singular[1]	dual[2]	plural[3]
Vocative	हे राम[V/1]	हे रामौ[V/2]	हे रामाः[V/3]
1 Doer	रामः[1/1]	रामौ[1/2]	रामाः[1/3]
2 Object	रामम्[2/1]	रामौ[2/2]	रामान्[2/3]
3 by	रामेण[3/1]	रामाभ्याम्[3/2]	रामैः[3/3]
4 for	रामाय[4/1]	रामाभ्याम्[4/2]	रामेभ्यः[4/3]
5 from	रामात्[5/1]	रामाभ्याम्[5/2]	रामेभ्यः[5/3]
6 of	रामस्य[6/1]	रामयोः[6/2]	रामाणाम्[6/3]
7 in	रामे[7/1]	रामयोः[7/2]	रामेषु[7/3]

Masculine stem, consonant त् ending		
मरुत्[m] Wind, Breeze, Air		
	singular[1]	dual[2]	plural[3]
Vocative	हे मरुत्[V/1]	हे मरुतौ[V/2]	हे मरुतः[V/3]
1 Doer	मरुत्[1/1]	मरुतौ[1/2]	मरुतः[1/3]
2 Object	मरुतम्[2/1]	मरुतौ[2/2]	मरुतः[2/3]
3 by	मरुता[3/1]	मरुद्भ्याम्[3/2]	मरुद्भिः[3/3]
4 for	मरुते[4/1]	मरुद्भ्याम्[4/2]	मरुद्भ्यः[4/3]
5 from	मरुतः[5/1]	मरुद्भ्याम्[5/2]	मरुद्भ्यः[5/3]
6 of	मरुतः[6/1]	मरुतोः[6/2]	मरुताम्[6/3]
7 in	मरुति[7/1]	मरुतोः[7/2]	मरुत्सु[7/3]

Conjugation process of Verb

वदन्ति = they say, they describe. 1st conjugation Root, Parasmaipadi.

1009 √ वदँ व्यक्तायां वाचि । to tell, relate, describe.

1.3.1 भूवादयो धातवः। वदँ = वद्अँ ।

1.3.2 उपदेशेऽजनुनासिक इत् । 1.3.9 तस्य लोपः। वद् ।

3.4.69 लः कर्मणि च भावे चाकर्मकेभ्यः। वद् ।

3.2.123 वर्तमाने लट् । 3.4.77 लस्य । वद् + लँट् ।

1.3.3 हलन्त्यम् । 1.3.9 तस्य लोपः । वद्+लँ ।

1.3.2 उपदेशेऽजनुनासिक इत् । 1.3.9तस्य लोपः । वद्+ल् ।

3.4.78 तिप्तस्झिसिप्थस्थमिब्वस्मस् तातांझथासाथांध्वमिड्वहिमहिङ् ।

1.4.199 लः परस्मैपदम् । choose Parasmaipada affix.

वद्+झि । we are conjugating third person

1.4.101 तिङस्त्रीणि त्रीणि प्रथममध्यमोत्तमाः ।

1.4.102 तान्येकवचनद्विवचनबहुवचनान्येकशः । वद्+झि । plural

1.4.108 शेषे प्रथमः । वद्+झि । this is called "प्रथमः" i.e. the **first and most** used in language, third person.

3.4.113 तिङ्शित्सार्वधातुकम् । वद्+झि ।

3.1.68 कर्त्तरि शप् । वद्+शप्+झि ।

3.4.113तिङ्शित्सार्वधातुकम् । वद्+शप्+झि ।

7.1.3 झोऽन्तः । वद्+शप्+ अन्ति ।

1.3.3 हलन्त्यम्। 1.3.8लशक्वतद्धिते। 1.3.9तस्य लोपः।वद्+अ+अन्ति ।

6.1.97 अतो गुणे । वद्+अन्ति । sandhi drops the अकारः ।

8.3.24 नश्चापदान्तस्य झलि । वद् + अंति । Anusvara appears

8.4.58 अनुस्वारस्य ययि परसवर्णः । वद् + अन्ति । Anusvara changes to नकारः ।

वद् + अन्ति = वदन्ति $^{iii/3}$ लट् । iii = 3rd person, 3 = plural.
Third person plural, Present Tense.

Declension process of Noun

ब्रह्म = Brahma. The Consciousness. Highest Intelligence.

Stem Brahman ब्रह्मन् n → ब्रह्म neuter Nominative $^{1/1}$
The Great Lord. The Invisible presence.

1.2.45 अर्थवदधातुरप्रत्ययः प्रातिपदिकम् । ब्रह्मन्

1.2.46 कृत्तद्धितसमासाश्च । 3.1.1 प्रत्ययः । 3.1.2 परश्च ।

4.1.1 ङ्याप्प्रातिपदिकात् । 4.1.2 स्वौजस-

मौट्छष्टाभ्याम्भिस्ङेभ्याम्भ्यस्ङसिभ्याम्भ्यस्ङसोसाम्ङ्योस्सुप् ।

1.4.104विभक्तिश्च । 1.4.103 सुपः = use one of these vibhakti suffix. ब्रह्मन्

+ सुँ ।

1.4.22 द्व्येकयोर्द्विवचनैकवचने = singular number taken.

ब्रह्मन् + सुँ ।

7.1.23 स्वमोर्नपुंसकात् । 2.4.13 यस्मात्प्रत्ययविधिस्तदादि प्रत्ययेऽङ्गम् । 6.4.1

अङ्गस्य । 1st and 2nd case Vibhakti drops for neuter stem. ब्रह्मन् ।

1.4.17 स्वादिष्वसर्वनामस्थाने । The word gets पदसंज्ञा ।

ब्रह्मन् ।

8.2.7 न लोपः प्रातिपदिकान्तस्य । Final नकार drops.

ब्रह्म $^{n1/1}$ ।
Neuter. First case nominative singular. **Brahma**.

The Highest. The Supreme. Shiva. Purusha. Tao.
The Beautiful, The Love, The Infinite, The Divine.
Any name is **Him**.
All directions point to **It**. Every form is **She**.

The Sanskrit Alphabet

संस्कृत वर्णमाला

Sanskrit संस्कृत is written in the देवनागरी Devanagari script, whereas English is written in the Latin (or Roman) script.

अ आ इ ई उ ऊ ऋ ॠ ऌ ॡ   ए ऐ ओ औ   अं अः   ॐ

क	ख	ग	घ	ङ	The Shiva Sounds
च	छ	ज	झ	ञ	
ट	ठ	ड	ढ	ण	The Brahma Sounds
त	थ	द	ध	न	
प	फ	ब	भ	म	The Vishnu Sounds
य र ल व		श ष स		ह	
		ळ	ळ्ह		Vedic Sanskrit
० १ २ ३ ४ ५ ६ ७ ८ ९					Numerals
क्ष ज्ञ श्र					Conjunct letter
Consonants written with the vowel अ for enunciation					

The vowel long ॡ is not found in literature. It is given only in the alphabet, grammar books or in font sets. Hence crossed out.

Conjunct letter संयुक्त अक्षर

क्ष , ज्ञ , श्र are not letters of the alphabet. Rather these are conjuncts that have become popular in writing.

Place & Effort of Enunciation

Place of speech	Vowels स्वर		Row Consonants व्यञ्जन Alpaprana / Mahaprana					Semi vow el	Sibi lant
			A	M	A	M	A	A	M
	Short	Long	1st	2nd	3rd	4th	5th		
कण्ठ	अ	आ	क	ख	ग	घ	ङ		ह
तालु	इ	ई	च	छ	ज	झ	ञ	य	श
मूर्धा	ऋ	ॠ	ट	ठ	ड	ढ	ण	र	ष
दन्त	ऌ		त	थ	द	ध	न	ल	स
ओष्ठ	उ	ऊ	प	फ	ब	भ	म		

Consonants are supplied with vowel अ to aid enunciation

कण्ठ – तालु	ए ऐ	Diphthongs have twin places of utterance, being compound vowels
कण्ठ – ओष्ठ	ओ औ	
दन्त – ओष्ठ	व	The vakara is different from the other semivowels as it has twin places of utterance
नासिक्य	.ं , अं	Anusvara is a pure Nasal
अनुनासिका	.ँ , ॐ , यँ	Candrabindu means Nasalization

कण्ठ Soft, Mahaprana	ह	Hakara is an Aspirate. It is sounded like a soft release of breath
	ः	Visarga is an Aspirate. It is sounded like ह along with its preceding vowel
Ardha Visarga ः is also written as ᳵ		
Base of tongue Hard, Alpaprana	ः or ᳵ	Jihvamuliya pronounce as ह् (a visarga preceding क , ख)
ओष्ठ Hard, Alpaprana	ः or ᳵ	Upadhmaniya pronounce as फ् (a visarga preceding प , फ)

कण्ठ्य Guttural or Velar	तालव्य Palatal	मूर्धन्य Cerebral or Retroflex or Lingual	दन्त्य Dental	ओष्ठ्य Labial

Maheshwar Sutras w.r.t. Pratyaharas

SN	Sutra	Pratyahara (Letter Array)	Count
1	अ इ उ ण्	अण्	1
2	ऋ ऌ क्	अक् इक् उक्	3
3	ए ओ ङ्	एङ्	1
4	ऐ औ च्	अच् इच् एच् ऐच्	4
5	ह य व र ट्	अट्	1
6	लँ ण्	अण् इण् यण् (रँ)	3
7	ञ म ङ ण न म्	अम् यम् ङम् (ञम्)	3
8	झ भ ञ्	यञ्	1
9	घ ढ ध ष्	झष् भष्	2
10	ज ब ग ड द श्	अश् हश् वश् झश् जश् बश्	6
11	ख फ छ ठ थँ च ट त व्	छव् (खँ)	1
12	क प य्	यय् मय् झय् खय् (चय्) (ञय्)	4
13	श ष स र्	यर् झर् खर् चर् शर्	5
14	ह ल्	अल् हल् वल् रल् झल् शल्	6
		Basic Count of Pratyahara =	41
Extended Count 41 + (3) = 44, with later grammarians +2 = 46			

Latin Transliteration Chart

International Alphabet of Sanskrit Transliteration (I.A.S.T.)

a	ā	i	ī	u	ū	ṛ	ṝ	ḷ	
अ	आ	इ	ई	उ	ऊ	ऋ	ॠ	ऌ	
						◌ृ	◌ॄ	◌ॢ	
e	ai	o	au	ṃ	m̐	ḥ	Ardha Visarga	oṃ	
ए	ऐ	ओ	औ	◌ं	◌ँ	◌ः	ᳲ	ॐ	
Consonants are shown with vowel ‘a = अ’ for uttering									
ka	क	ca	च	ṭa	ट	ta	त	pa	प
kha	ख	cha	छ	ṭha	ठ	tha	थ	pha	फ
ga	ग	ja	ज	ḍa	ड	da	द	ba	ब
gha	घ	jha	झ	ḍha	ढ	dha	ध	bha	भ
ṅa	ङ	ña	ञ	ṇa	ण	na	न	ma	म
ya	ra	la	va		ḷa	‘			
य	र	ल	व		ळ	ऽ			
					Consonant only				
śa	ṣa	sa	ha		ka	क्अ = क			
श	ष	स	ह		k	क्			

The symbol ꣳ is pronounced as गुं guṃ. It is an ayogavaha अयोगवाह sound seen in Vedic literature due to Sandhi.

References

Author	Title	Ed.	Year	Publisher
KLV Sastry & Anantarama Sastri	Sabda Manjari Reprint - 2013	1st	1961	RS Vadhyar & Sons, Palghat.
Avanindra Kumar	अष्टाध्यायी पदानुक्रम कोश	2nd	2008	Parimal Publications, Delhi
Pushpa Dikshit	शीघ्रबोध व्याकरणम्	2nd	2017	Pratibha Prakashan, Delhi
	अष्टाध्यायी सहजबोध Vol1	3rd	2011	
	अष्टाध्यायी सहजबोध Vol 2	3rd	2011	
Ashwini Kumar Aggarwal	Dhatupatha of Panini	2nd	2017	Devotees of Sri Sri Ravi Shankar Ashram, Punjab
	The Sanskrit Alphabet	1st	2017	
	Maheshwar Sutras Pratyaharas	1st	2018	
	Sanskrit Sandhi Handbook	1st	2019	
	Sanskrit Nouns Sabda Manjari	1st	2019	
	Dhatupatha Verbs in 5 Lakaras Vol 1, 2, 3	1st	2017	

Online Links
https://www.learnsanskrit.cc/
http://sanskrit.uohyd.ac.in/scl/#
https://www.sanskritworld.in/index/Sanskrittool
http://sanskrit.jnu.ac.in/index.jsp
https://ashtadhyayi.com/

Epilogue

Knowing the sutras behind the Verbs is serious and time-consuming work, yet it bestows immense satisfaction.

Hope this work delights and cheers every Vyakarana enthusiast.

सर्वे भवन्तु सुखिनः । सर्वे सन्तु निरामयाः ।

सर्वे भद्राणि पश्यन्तु । मा कश्चिद् दुःख भाग्भवेत् ॥

ॐ शान्तिः शान्तिः शान्तिः ॥

When faith has blossomed in life, Every step is led by the Divine.

Sri Sri Ravi Shankar

Om Namah Shivaya

जय गुरुदेव